Constantin Göttfert

Holzung

Kurzgeschichten

Arovell Verlag Gosau Salzburg Wien | Mai 2006

Constantin Göttfert, Holzung
Kurzgeschichten

ISBN 3-901435-81-6
Buchnummer A 81

Umschlag nach Acrylbildern von Paul Jaeg

Arovell Verlag
Mai 2006

Holzung

Annas Katze

Anna sitzt am Küchenboden. Mit ihren Händen hat sie den Körper der Katze umfasst und das Tier hochgehoben: Alle vier Pfoten hängen in der Luft. Als die Krallen in ihre Haut schlagen, schreit sie. Kurz darauf lacht sie wieder und in ihren Augen ist ein seltsames Glitzern. „Schlimmes Kätzchen“, sagt sie. Mit beiden Händen hält sie nun alle vier Pfoten des Tieres gleichzeitig fest. Das wird sie bereuen. Das Tier windet sich. Endlich kommt eine Pfote frei und schlägt dem Mädchen in den Unterarm. Anna schreit. Die Katze läuft mit eingezogenem Schwanz an mir vorbei und ich sehe einen dicken Tropfen Blut, der rasch größer wird. Unerträglich ihre Stimme. Sie versucht zu weinen, aber ich bin mir nicht sicher, ob sie tatsächlich Schmerzen hat. Ein einziger Tropfen Blut. „Armer Schatz“, sage ich. In meiner Hand ist ein Geschirrtuch. Als die Fasern ihre Wunde berühren, kommt ein lautes Quietschen aus ihrem Mund. Es erinnert mich an das Abstechen von Schweinen. Es brenne wie Feuer, sagt sie. Es sind echte Tränen. Wie gut sie es schon kann. „Fest drauf!“, sage ich und presse das Tuch dagegen. Die rote Farbe frisst sich rasch in den rauen Stoff. Dann lasse ich ihren Arm los. „Hör auf zu schreien“, sage ich, „es ist deine Katze!“

Sie bleibt in der Küche sitzen. Minutenlang sieht sie in die Luft und hält ihre angezogenen Beine umschlungen, während ich am Herd stehe und koche. „Anna, das Tuch.“, sage ich. Da ist eine rote Linie auf ihrem Arm bis zu ihrem Ellenbogen. Das

Blut sammelt sich dort. Ich sehe zu, wie sich ein Tropfen bildet, der immer größer wird, bis er zu Boden fällt. „Alles machst du dreckig.“, sage ich. Sie legt das Tuch wieder auf die Wunde ohne aufzusehen. Dabei verzieht sich ihr Gesicht. Wirklich Schmerzen diesmal, denke ich.

Während es draußen finster wird, saugen sich in der Pfanne Fischstäbchen mit heißem Öl voll. Anna sitzt noch immer am Boden. In der Hand hält sie einen Staubfaden. Sie bewegt ihn dicht an ihre Lippen, nimmt ihn dann in den Mund und bläst ihn von sich. Endlich bemerkt sie meinen Blick. Ihre Augen sind mir noch nie so groß und dumm vorgekommen. Während sie mich ansieht, verfängt sich der Staubfaden durch einen Luftzug in ihren Haaren. Das Tuch mit dem Blutfleck ist zu Boden gefallen. Ich habe keine Lust auf das verzerrte Gesicht und das leise Quietschen. „Essen, mein Liebes“, sage ich stattdessen. Sie bleibt sitzen. Ich nehme die Fischstäbchen aus der Pfanne. Schwarze Bröselreste schwimmen auf dem Fett. Mir wird übel. „Anna, jetzt komm doch“, sage ich. Ich stelle ihr den Teller hin. Endlich reagiert sie. Der Staubfaden noch immer in ihren Haaren, als sie sich zu Tisch setzt. Wie ihre Wangen hängen, denke ich. Als hätte sie keine Muskeln im Gesicht. Sie wird nie einen Mann bekommen. „Anna“, sage ich, „du musst lächeln.“ Aber sie lächelt nicht. Sie steckt ein Fischstäbchen in den Mund und kaut viel zu lange darauf herum.

Nach dem Essen sitzen wir am Tisch. „Wirst du jetzt schlafen, meine Liebe?“, frage ich sie. Sie nickt, während sie in den leeren, fettigen Teller blickt. Dann steht sie auf. Als sie geht, heben sich ihre Füße kaum. Draußen ist es dunkel geworden. Ich sehe, wie sie in ihrem Zimmer verschwindet ohne Licht zu machen und sich hinlegt. Ihr Gewand lässt sie an. „Du wirst schlafen, hörst du?“, sage ich. In der Dunkelheit sehe ich sie nicken. Sie sieht mich nicht an dabei, während ihre Augen offen stehen und zur Decke starren. Von der Küche höre ich das Schreien der Katze. Ihre Katze, denke ich, ihre verdammte Katze.

Weicher Stuhl. Ich bleibe sitzen. Meine Hand greift nach meinem Penis ohne hinzusehen. Denke an Frauenkörper ohne Gesichter. Hinter der Tür schreit jemand. Es muss Anna sein. Ihr Gesicht fällt mir nicht ein. „Papa“, schreit sie. Ihr Klopfen an der Tür. Erektion. Weiter, weiter, denke ich. Höre ihre Fingernägel außen an der Tür kratzen. Als ich mit der Faust dagegen schlage, verstummt das Geräusch. Weiter, weiter. Leises Weinen. Stöhnen. Es erregt mich und ich erschrecke. Anna? Ekel überkommt mich. Endlich Ejakulation. Stehe auf und blicke auf den Samen auf den Exkrementen in der Muschel. Ekel, Ekel, Ekel, denke ich. Ich ziehe ab, wasche mich, rieche immer wieder kontrollierend an meinen Händen.

Draußen liegt Anna vor der Tür. Sie hat geweint. „Schatz, was hast du?“, frage ich. Sie blickt auf wie ein Tier. Ihre Arme und Hände sind völlig zerkratzt. „Verdammte Katze“, sage ich.

Als ich sie an den Handgelenken zu mir hoch ziehe, höre ich wieder das Quietschen. „Du solltest doch schlafen", sage ich. Sie sieht mich nicht an, windet sich aus meiner Umklammerung und streckt den Arm aus, zeigt auf ihr Zimmer. Sie sei drinnen, sagt sie. Hätte sich versteckt. Auf meinen Händen klebt ihr Blut.

Ich mache Licht im Zimmer. Sofort höre ich die Katze schreien. Anna deutet unter das Bett und ich lege mich hin, obwohl überall Staub ist. „Hier bist du, verdammtes Vieh", sage ich. Ihre Augen leuchten. Als ich meine Hand ausstrecke, um sie zu packen, will sie entkommen. Ich spüre, wie sich ihr Körper spannt, aber sie bewegt sich nicht. Stattdessen mehrere Sekunden anhaltendes Schreien. „Was hast du mit ihr gemacht, Anna?", frage ich. Anna sitzt neben mir am Boden im Staub. In ihren Augen ist ein seltsames Glitzern. Dann sehe ich wieder unters Bett und zerre die Katze hervor, setze sie ab. Sofort knickt sie zusammen und beginnt zu schreien. Beide Hinterbeine sind ohne Kraft. Sekundenlang sehe ich zu, wie sie versucht, sich mit den Vorderbeinen vorwärts zu bewegen. Es gelingt nicht. „Anna", sage ich, „du bist grausam."

Detroit

Wir sollen sofort anhalten, sagte er. Ich saß am Beifahrersitz, er hinten, ausgestreckt, den Kopf zwischen den Händen haltend, als wolle er ihn zerdrücken. „Du schläfst nicht mehr?“, fragte ich. Seine Augen wirkten wie hineingesteckt in diesen haarlosen, glatten Schädel. „Er übergibt sich“, sagte ich, ohne wegsehen zu können, „Gerhard, du musst anhalten!“ - „Scheiße“, kam die Antwort. Wir waren Brüder. Gerhard bremste ab, schaltete die Warnblinkanlage ein. „Scheiße, ich bin mitten am Highway“, sagte er.

Man zog hier die Landschaft an den Autos vorbei. Derselbe gelbe Pickup schon seit Stunden neben uns wie ein alter Bekannter. Millionen von Menschen in ihren fahrenden Käfigen im Gleichschritt, während sich die Highways wie unendlich lange Förderbänder durch die Landschaft fraßen. Lebewesen aus Blech, fünfspurig diszipliniert in der Art, wie sie durch diese Landschaft kriechen durften.

Von der Rückbank Würgelaute: Er schluckte Magensaft, verzog das Gesicht und hielt beide Hände vor den Mund. Endlich unser Wagen am Pannenstreifen, der „hard shoulder“, wie sie es aufgrund der Rillen in der Fahrbahn nannten. Unser Lincoln dröhnte. Augenblicke, nachdem wir standen, hörte ich, wie Manuel die Autotür aufriss.

„Wenn ich sage sofort, meine ich sofort“, sagte Manuel. Sein Gesicht war grau, tief darin die kleinen, schwitzenden Augen. Sein glatt rasierter Schädel erinnerte mich an einen

Stein. „Scheiße“, sagte Gerhard leise. „35 Meilen noch bis Detroit.“ Er drehte sich um: „Schaffst du das?“ Ich blickte auf die Uhr: Es war kurz nach 11. Im Wagen geisterhafte Stille, während draußen die Autos an uns vorbeischossen. Wir wechselten Blicke: Manuel sah mich an, dann Gerhard, der wieder mich und ich wieder Manuel: ein Reigen. Jemand musste sprechen.

„Wahrscheinlich verdorbenes Fleisch“, sagte Manuel. Sein Atem stank nach Erbrochenem. „Oder das Wasser hier.“ Er deutete auf die riesigen Weizenfelder, auf denen die gewaltigen John Deere Mähdrescher wie wild gewordene Tiere ihre Wunden rissen. „Alles Gift“, bestätigte Gerhard. Seine Augen verfolgten die gigantischen Staubwolken über den Feldern. Ich nickte. Die Antworten schmiegten sich verführerisch an unsere Gedanken. „Alles verseucht“, sagte ich und lachte ohne Ton und ohne den Blick vom bleichen Gesicht auf der Rückbank nehmen zu können.

Dreißig Meilen weiter in einem Motelzimmer. Gerhard am kleinen Holztisch über die Landkarte Michigans gebeugt. „Weit ist es nicht mehr“, sagte er. Niemand gab Antwort. Manuel lag im Bett: unruhig wie mir schien, aber er schlief. Ich legte die Hand auf den Eiswürfelbehälter, nahm schließlich einen heraus und steckte ihn mir in den Mund. Die Hitze war unerträglich.

„Scheiße“, flüsterte Gerhard und ich glaubte die Hitze seines Atems auf der Haut zu spüren. Wir wechselten keinen

Blick miteinander, stattdessen sahen wir beide auf den bleichen, schwitzenden Körper, der sich im Bett wälzte ohne aufzuwachen. Ich stand auf, ging ans Fenster: die Skyline Detroits am Horizont.

„Fünf Meilen“, sagte Gerhard. Seine Finger berührten die Karte. Ich drehte mich um, jedoch nur, um einen weiteren Eiswürfel aus dem Behältnis zu nehmen. Eis war das einzige, was gratis aus dem Automaten im Gang kam. Ich legte den kalten Brocken auf meine Stirn, dann auf meinen Hals, bis er unter der Hitze zerschmolz.

„Was, wenn wir allein hinfahren?“, fragte Gerhard. Ich hörte das Rascheln der Landkarte, die er zusammenfaltete. In einem Moment blinden Verstehens blickten wir auf den Körper unseres Bruders, der sich unter einem Berg von Decken verbarg. „In ein paar Stunden sind wir wieder hier.“, sagte er, während er sich mit der zusammengefalteten Karte Luft zu fächelte. Ich nickte. Mein Kopf fühlte sich leer und heiß an. In Gerhards Hand rasselten die Wagenschlüssel wie eine kleine Kette. „Morgen geht´s weiter.“, sagte ich. „Er hat ja kein Fieber.“ Ich musste wieder hinsehen. Die Oberfläche seines nackten Schädels glänzte im Schweiß. „Hat er nicht?“, antwortete Gerhard. „Er schwitzt doch wie ein Schwein.“ Ich blickte weg, einmal durch den Raum: vielleicht fünfundzwanzig Quadratmeter, in der Mitte ein erbärmlicher Deckenventilator, der die heiße Luft herumwirbelte. „Let´s go“, sagte ich.

Die Amerikaner waren uns voraus, das musste auch ich erkennen. So wie er fast alles tat, ohne etwas zu sagen, drückte Gerhard kommentarlos den Schalter „all lock“, der in der Fahrertür angebracht war. Wir standen an der roten Ampel und blickten ungläubig aus unserem auf eine Million Dollar versicherten Lincoln auf den gewaltigen Fortschritt.

Unter einer Autobahnbrücke ein Gewirr aus halbnackten, schmutzigen, schwarzen Körpern. Sie suchten und fanden ihre Partner und schlugen sich barfüßig zwischen zerbrochenen Flaschen und Kartons. Sie malten ein Bild aus Blut auf den staubigen Betonboden. Die ganze Zeit über blinzelte Gerhard. Seine langen, weiß behaarten Finger klopften auf den Ganghebel, als hätte er das Automatikgetriebe vergessen. Niemand sagte etwas, nur das leise Surren der Klimaanlage störte die Stille im Wageninneren. Draußen das Tanzen der schwarzen Körper, die Laute aus den Mündern unhörbar für uns. Frisches Blut, das die Befreiung suchte und fand, war ihr Arbeitsmittel.

Als die Ampel auf Grün sprang und der Lincoln wie auf Schienen dem Ort entglitt, stieß Gerhard sekundenlang den Atem aus. Für einige Sekunden ekelhafte Stille, dann seine Stimme, als hätte er Ewigkeiten nicht gesprochen: „Kannst du nachsehen?“ Er räusperte sich. „Dearborn oder so ähnlich.“ Aus dem Motel hatten wir einen Prospekt mitgenommen. „Welcome to the City of Detroit, where you will discover a vibrant, diverse and cultural city on the go“. Gerhard gab keine Antwort. Aus dem Augenwinkel sah ich, dass sich seine

Lippen bewegten. Es schien, als würde er leise vor sich hinfluchen.

„Er hätte es geliebt", sagte ich: Dearborn, Vorort Detroits und Heimat des Henry Ford Museums, das wir eben betreten hatten. Unsere Schritte verhallten merkwürdig am Steinboden dieser riesigen Halle. Unter einer Skulptur Fords die Worte: „An American visioneer". Ich ertappte mich dabei, wie ich versuchte, beim Gehen den Fuß lautlos abzurollen. Kolosse aus Stahl und Blech, die bis knapp unter die Decke reichten. Ich dachte an Manuel, an Worte, die Begeisterung finden konnten für das, was für mich blank und roh war. Ich entdeckte ein plakatgroßes schwarz-weiß Foto, das Arbeiterinnen am Förderband zeigte, aber ich sah nur einzelne Gesichter unter Kopftüchern. Was mir fehlte, war der Blick für die Maschine.

„Er wird sicher schlafen", sagte Gerhard, der plötzlich neben mir stand und meine Gedanken erriet. Er hatte einen Fotoapparat in der Hand. „Komm weiter, sonst werd ich hier nie fertig." Er fotografierte jedes einzelne Ausstellungsstück.

Ich wusste, dass er anders zurück fuhr. Er nahm einen Umweg durch den reichen Nordteil Detroits und wir blickten schweigend auf die meterhohen Zaunfronten links und rechts neben der Straße, hinter denen sich die Behaglichkeit verbarg. An einer Kirche ein Transparent, das den blutig gepeitschten Rücken Jesu zeigte: „For by his wounds you were healed ... (1

Pet. 2:24)“. Am Horizont verschwamm die Straße in der Hitze. Es war Mittagszeit.

Wir erreichten das Motel. Der Wohnungsschlüssel rasselte in meiner Hand. Ich ging zu schnell, um nicht aufzufallen. Als ich endlich vor der Zimmertür stand, hörte ich meinen gehetzten Atem. Ich war die Stockwerke hinauf gelaufen, immer das hässliche Rasseln des Schlüssels neben mir, hatte die Finger am kühlen Holz der Tür und den Schlüssel im Schloss und konnte nicht öffnen, drehte noch einmal herum, wissend, dass es die falsche Richtung war, nur um Zeit zu gewinnen. Dann legte ich das Ohr an das dünne, braune Holz, hielt den Atem an, der mir Sekunden später gehetzt aus der Lunge floh. Wir hätten ihn nicht allein lassen sollen, dachte ich. Der Schlüssel rasselte. Ich drehte noch einmal, diesmal in die richtige Richtung. Die Tür sprang auf, Gerhard plötzlich dicht neben mir, sein Atem rasend wie mein eigener. Er drängte sich vor und ich ließ ihn dankbar. Abgeatmete Luft, der heiße Körper unter den Decken. Manuel hatte die Augen offen, als hätte er gewartet. Sie glänzten wie Glas. Für eine Sekunde fixierte er uns, dann schloss er sie und wir hörten nur noch seinen langsamen Atem in der Stille.

Wie es ihm ginge, fragte ich. Ich hockte mich ans Kopfende seines Bettes, legte meine Hand an den kahlen, heißen Schädel und erschrak über die Hitze. „Manuel“, sagte ich. „Hörst du mich?“, und er nickte, räusperte sich, als hätte er Jahre nicht gesprochen. Sein Mund formte Worte. Ich sah wie seine Zunge darin wütete wie ein fremdes Tentakel, das nicht hinein gehörte. Er würgte, als wolle er sich übergeben, seine Lippen spannten sich und ich spürte, wie er Luft holte, doch er hustete nur, würgte wieder und senkte endlich seinen Kopf, ohne etwas gesagt zu haben. „Lass es!“, sagte Gerhard und ich drehte mich zu ihm. Er saß am Tisch und hatte ein Telefonbuch aufgeschlagen: Yellow pages. Was er suche, fragte ich. Natürlich wusste ich es. Sein weiß behaarter Zeigefinger pflügte durchs gelbe Papier: Health & Medical, las ich, während draußen die Sonne hinter den Horizont gezerrt wurde.

„Dreh lauter“, sagte Gerhard. Menschen saßen im Halbkreis und lachten. Jemand zog sich aus und sprühte Schlagobers auf seinen Körper. Ich machte lauter, dann nach ein paar Minuten noch einmal wie eine Schraube, die man noch fester anzieht, nachdem sich das Gewinde gelockert hat. Gerhard saß völlig bekleidet in der wasserlosen Badewanne, ich daneben am Rand. Wir wechselten uns ab. Seine Füße hielten den Fernseher auf der kleinen Abstellfläche, damit er nicht in die Wanne rutschte. Ich dachte an das Gesicht der Rezeptionistin, als ich nach dem Verlängerungskabel gefragt hatte. Für einige Augenblicke das Wort Strangulation in ihren Augen. Sie wolle keinen Ärger. Ich zählte ihr fünf Dollar Einsatz in ihre kleine schwarze Hand. Morgen müsse sie es wiederhaben. Sie dürfe es nicht und überhaupt: Wozu wir etwas verlängern wollten. Es gäbe Steckdosen genug.

Plötzlich ein Hund auf der Bühne. Natürlich beabsichtigt, aber die Menschen schlugen trotzdem die Hände vor ihren fetten Leibern zusammen und lachten. Sogar die Moderatorin tat das. Ihr Gesicht in Großaufnahme: „Jesus“, sagte sie lachend und hielt sich die Hand an die Brust. Die Kamera folgte dem Hund, während der am Boden liegende Körper weiter Schlagobers auf Brüste und Beine sprühte. Begeisterte Zuschauergesichter: „Oh, my God, oh, my God!“

Halb drei Nachts. Ich wusste nicht mehr, wer die Idee gehabt hatte, den Fernseher ins Badezimmer zu stellen und die Tür zu verschließen. Wir sprachen kaum. In den wenigen Quadratmetern hallte das Lachen gespenstisch, aber ich hatte längst schon aufgehört, mich zu fragen, was wir hier taten. „Tauschen wir?“, sagte ich zu Gerhard in der Wanne. Er reagierte nicht. In seinen Augen spiegelte sich das Flimmern des Fernsehers. Sekunden vergingen, bevor er hoch sah. Sein Blick schien verärgert, als hätte ich ihn an seinen eigenen Körper erinnert. „Ich muss mal“, sagte er. Er setzte sich auf und zog sich mit verzerrtem Gesicht an den Badewannenrändern hoch. „Brauch nicht zu lange“, sagte ich leise und ging nach draußen.

Als ich ihn weckte, stieß er mir seinen schrecklichen Atem entgegen und ich sah seine Zunge gierig nach den Wassertropfen verlangen, die ich in die dunkle Höhle goss. Hinter seinen Augen leuchtete die Schuld, als ich die Handtücher neben seinem Bett in einen Topf mit Wasser fallen ließ. Es war noch warm. Ich hörte die Spülung, dann Gerhards Schritte hinter mir, während ich die Decken von dem haarlosen Körper nahm. „Schon wieder?“, fragte Gerhard. Ich nickte teilnahmslos und gemeinsam drehten wir ihn zur Seite. „Was hat er gefressen?“

„Gib ihm noch was zu trinken“, sagte ich Minuten später vom Badezimmer aus. Meine Hände brannten unter dem heißen Wasser, das aus dem Hahn kam, aber ich konnte nicht aufhören, sie immer wieder einzuseifen und abzuspülen. Neben mir lachten Menschen aus dem Fernseher. Als ich zurückkam, stand Gerhard mit dem leeren Glas Wasser neben dem Bett und sah mich so scharf an, wie er es lange nicht mehr getan hatte. „Wir ziehen ihn an“, sagte er und blickte wieder zurück in die gläsernen Augen, die sich unendlich langsam schlossen. Es war kurz vor Vier. „Notaufnahme“, sagte er.

„How nice.“ Sie hatte dicke, fleischige Lippen und ihr Körper war so groß und breit, dass man nicht wusste, wo ihr Bauch aufhörte und die Brust anfing. „Three brothers touring the US.“ Was mit ihm sei, fragte sie und schürzte die Lippen, als sie den Körper, den wir beiderseitig am Oberarm hielten, begutachtete. Seine Füße hingen wie leblos zwischen uns herab, knickten immer wieder ein. Ob wir ihn nicht setzen könnten, fragte ich. Mein Arm schmerzte unter dem Gewicht. „Just a second“, antwortete sie. Gleich würde jemand kommen. Mein Blick fiel auf ein Poster an der Wand, das einen in Totentücher gewickelten Körper zeigte. Darunter eine Aufschrift: „Untie him and let him go (John 11:43-44)".

Man hatte ihn in ein Bett am Gang hinter der großen Doppeltür gelegt. Durch das Glas sah ich nur seine weißgrauen Füße und minutenlang tat ich nichts anderes, als auf diese zu starren und aus der inneren Leere hoch zu schrecken, wenn sie sich bewegten. Gerhard, der neben mir saß, tat mir gleich. Wir sprachen wenig.

An der Wand hing ein kleiner Fernseher: Eine Männerstimme kündigte die Show an: David wolle Michelle heiraten, aber er sei nicht nur schwul, sondern begehre auch die transsexuelle Ashley. Die Doppeltür öffnete sich und spuckte die schwarze Krankenschwester aus. Sie hatte ein Formular in der Hand und ein Lächeln im Gesicht, als sie sich zu uns setzte. „He is okay", sagte sie. Ich misstraute ihr sofort. Ihre dicken, schwarzen Finger rieben an einem kleinen hellen Fleck unter der Nasenspitze. Der Doktor habe ihn angesehen: Enzephalitis, „most likely", aber in ein paar Minuten würden wir mehr erfahren. Sie deutete auf das Formular, das sie in der Hand hielt und verzog ihre Nase, als würde ein stechender Geruch davon ausgehen.

Ob er ein Auto habe, fragte sie und drückte den Kugelschreiberkopf an ihre Brust. „A Golf Volkswagen", antwortete ich. Sie blickte nicht auf, schrieb die ersten Buchstaben in das Formular, hielt dann inne und fixierte mich, als hätte ich sie beleidigt. Was das wert sei. 1500 Dollar, antwortete ich, etwa, woraufhin sie ihren Kopf schüttelte, als wäre ich nicht bei Verstand und mit dem Kugelschreiber die eben gesetzten Buchstaben durchstrich. „We have to look for something else“, sagte sie. „What about your parents?“ Wir schwiegen einen Augenblick. Die Spitze ihres Kugelschreibers klopfte ein Loch ins Papier. Ob wir denn die Gefahr nicht erkennen würden, fragte sie. „Your brother could die.“ Sie sah uns abwechselnd an. „Do you want to lose your brother?“ Sie begann wieder an dem weißen Fleck unter der Nasenspitze zu kratzen. Was wir suchten, wäre ein Grundstück, eine Eigentumswohnung, „something of value“. Sie hörte nicht auf, den Kugelschreiberkopf gegen das Papier zu klopfen. „I´m sorry“, sagte sie. Sie sah nicht mehr her, sondern nur noch auf ihr Formular, auf dem die ersten Buchstaben von „Golf“ durchgestrichen waren.

Gerhard stand auf, ging einige Schritte durch den Raum, während ich ihn mit den Augen verfolgte. Es schien, als würde er überlegen, dann drehte er sich plötzlich um und sah mich an. In seinen Augen loderte Hoffnung. „Die Kreditkarte“, sagte er. Viel zu lange sah ich ihn an und hörte dumpf das Pochen von Blut in den Ohren. „You have a credit card?“, fragte die Schwester, die nur das eine Wort verstanden hatte. Ihre Hand mit dem Kugelschreiber hörte auf zu klopfen. Ihr Gesicht bekam ein Lächeln. Warum wir nichts gesagt hätten, vorher schon. Dann wäre er doch versichert. Sie könnten ihn behandeln. Der Kugelschreiber in ihrer Hand durchkreuzte ein Kästchen auf dem Formular: „Insurance information“ stand daneben. Sie fragte nach Nummer und Ablaufdatum. „We have to check that“, sagte sie, als sie aufstand.

„There is nothing you can do for him“, hatte er gesagt, als er über seine Hornbrille blickte. Wir fuhren die I75 nach Süden und ich glaubte, noch immer den Druck dieser alten, weiß behaarten Hände auf meinem Oberarm zu spüren. Er müsse schlafen, hatte er gesagt, aber wir würden sehen, dass alles gut werde.

Als wir Detroit verließen, atmete Gerhard auf. Wieder riesige Weizenfelder, von den Mähdreschern aufgewirbelter Staub und der Highway, der geradeaus bis zum Horizont führte, als wäre die Erde eine Scheibe und man würde an seinem Ende ins Nichts fallen. „Irgendetwas müssen wir tun“, hatte Gerhard gesagt. Besuchszeit ab sechzehn Uhr, hatte die Schwester gesagt. Es war acht. Auf meinen Knien lag ein Prospekt, den die Rezeptionistin mir im Austausch für das Verlängerungskabel gegeben hatte: Indianapolis. Das Radio lief, aber ich konnte trotzdem hören, wie Gerhard die ganze Zeit über leise fluchte.

Etwa hundert Meilen später hielten wir an einer Tankstelle. Die Erde war ausgedörrt, der Wunsch nach Feuchtigkeit unüberhörbar. Ich stand in der Telefonzelle neben den Zapfsäulen und beobachtete eine leere Coladose, mit der der Wind am Boden spielte. Nein, sagte die Stimme aus dem Hörer. Es wäre unmöglich, mit ihm zu sprechen. Ich legte auf. Münzen fielen in den Staub. Draußen befüllte Gerhard den

Wagen mit Benzin und suchte mit zusammengekniffenen Augen Blickkontakt. Ich verließ die Telefonzelle und stieg wortlos ein.

„The Lord“, sagte der Schwarze im Zimmer. Wir hatten Stunden im Auto verbracht und Indianapolis nie erreicht. Gerhard hatte den Lincoln hunderte Meilen auf der I75 auf und ab gehetzt, bis wir uns erneut von den tristen Außenbezirken Detroits wie von langsam aber stetig verfaulenden Armen umschlingen hatten lassen. Jetzt stand er dampfend auf dem Besucherparkplatz des Krankenhauses, das sie mit dem Namen beklebt hatten, der hier Vergangenheit, Hoffnung und Elend gleichzeitig bedeutete: Henry Ford.

„The Lord“, sagte der Schwarze noch einmal. In einer Hand hielt er einen Wischmob, die andere deutete zur Decke, die er nicht wahrnahm, sondern gedanklich mit dem Finger durchstieß. Auf seinem Gesicht war ein Lächeln, das auch nicht verebbte, als niemand etwas erwiderte und er wieder damit begann, den Boden zu wischen und dabei vor sich hin zu pfeifen: Amazing Grace.

Manuel war bei Bewusstsein. Über seinem Kopf hing eine umgedrehte Flasche, deren durchsichtiger Inhalt langsam in seine Venen tropfte. Seine Hand hob von der Decke ab und betastete das kleine Rädchen am Schlauch, drehte daran und erhöhte so die Geschwindigkeit, mit der die Flüssigkeit in ihn lief. Dann sank er erschöpft zurück und atmete schwer.

Er könne nicht sprechen, hatte der Arzt gesagt und mit dem Finger auf seinen eigenen weiß behaarten Schädel gedeutet: das Sprachzentrum wäre wie gelähmt. Als ich die Finger auf Manuels trockene Handfläche legte, sah er mich an und betastete vorsichtig meine Haut wie etwas, das er nicht kannte. „Wir wollten nach Indianapolis fahren“, sagte Gerhard, der hinter mir stand. Sekundenlang suchte ich nach einer Reaktion in Manuels Gesicht, dann endlich öffneten sich die verklebten Lippen, doch alles was herauskam, waren einzelne Laute und sein Kopf sank erschöpft zurück ins Kissen.

„Don´t try to make him talk“, sagte eine Schwester, die plötzlich in der Tür stand. In ihrer Hand war eine neue Flasche. Er sei sehr durstig, sagte sie und grinste mit breiten Lippen, während sie die Flaschen austauschte. Er versaufe täglich mehr Antibiotika als ein normaler Mensch Wasser.

Ich gab dem Mann hinter der Theke meinen Reisepass und er leckte sich seinen unförmigen Zeigefinger, schlug ihn auf und begann zu lachen. Wo zum Teufel das wäre, sagte er. Mit ihm lachten andere. Jeder wollte es versuchen. Der Name meiner Heimat war ein Witz: „Österreich.“ Das Dokument ging durch die Hände aller, die an der Bar saßen: schwarze und weiße Arbeiter mit Schweißflecken am Rücken und getrocknetem Salz auf der Stirn, dann wieder zurück zum Barkeeper.

Ob ich jetzt eine Schachtel haben könne, fragte ich. Er gab mir den Pass zurück. Natürlich, antwortete er. Es sei das

Gesetz: „The law“ und die Männer nickten. Sofort nach Erhalt des Päckchens steckte ich eine Zigarette in den Mund und der Barkeeper gab mir Feuer. „Europe, right?“, sagte er. „Next to Germany“, antwortete ich und steckte den Reisepass in die Brusttasche.

Sie wollen uns alles verbieten, sagte einer an der Bar und sah mich an. Andere stimmten zu. Seine Hände waren riesig. Er hob das Glas Bier mit Zeige- und kleinem Finger, trank und wischte sich den Mund mit dem Handrücken, nachdem er es wieder abgestellt hatte. Wo ich denn Unterkunft habe, wollte er wissen und ob ich allein unterwegs sei. In seinem Mund blitzte ein Goldzahn, aber bevor ich antworten konnte, kam mir der Barkeeper zuvor: „Leave him alone.“

Erst als ich die Tür hinter mir zuzog und wieder auf der Straße stand, verstand ich. Ich stieg über die Leitplanken und überquerte mit rasendem Puls den doppelsträngigen Freeway, der zwischen der Bar und dem Motel brauste wie ein unüberwindbarer Fluss.

Ein paar Minuten später im Zimmer. Der Fernseher war wieder an seinem alten Platz im Wohnzimmer und Gerhard saß mit versteinertem Gesicht davor. Ich sah, wie sich seine Lippen bewegten, als würde er sprechen. Selbst als ich die Tür ins Schloss fallen ließ, sah er nicht auf.

Im Fernsehen zeigten sie zwei durchtrainierte Menschen, Mann und Frau, die beide ihre weißen Zähne in die Kamera zeigten. Sie hielt eine Pille zwischen Daumen und Zeigefinger.

Man solle doch anrufen. Es sei eine Weltneuheit. So einfach würde es nie wieder werden, gut auszusehen.

Als ich Gerhard ansprach war es, als erwache er aus einem Koma. Für einige Sekunden blinzelte er hektisch, seine Lippen stoppten die Bewegung und er sah mir ins Gesicht, dann auf das, was ich in der Hand hielt. „Du rauchst?", sagte er. Ich warf die Schachtel auf den Tisch, auf dem das Telefon stand. Für einige Augenblicke blieb mein Blick darauf kleben. „Nichts", sagte Gerhard, „Heute morgen mit dem Doktor gesprochen. Es ist ...", er formte mit seinen Händen einen Hohlraum, „... eine Bakterienansammlung, sagen sie, abgeschlossen in einer Art Hülle." Wir blickten beide auf die gesunden, jungen Körper auf dem Fernsehbildschirm. 1-800-MAGICPILL. Ich nahm eine Zigarette aus der Schachtel am Tisch und begann zu rauchen.

Wir verließen Detroit nicht mehr. „Wir müssen etwas tun", hatte Gerhard gesagt und ich hatte genickt und gemeint, dass wir sonst verrückt würden. Auf meinem Schoß lag die Karte Detroits und ich hielt meinen Finger ein paar Millimeter über dem Papier, als wäre ihre Oberfläche mit Kot überzogen, den ich nicht berühren wollte. Es gab keinen Plan. Gerhard startete den Wagen und fuhr Richtung Innenstadt, während ich unseren Weg mit dem Finger verfolgte.

Eine Stunde später saßen wir unter strahlend blauem Himmel im Park. Der Wind trug den Geruch von gegrilltem

Fleisch zu uns herüber. Ich rauchte, während Gerhard minutenlang auf die gleiche Seite eines Grisham-Romans starrte, dann wieder zurück blätterte und erneut zu lesen begann.

Drüben, sagte ich, wäre ein Supermarkt. Ob er etwas zu trinken wolle. Er nickte ohne aufzusehen. Als ich aufstand, spürte ich, wie das Rückenteil meines T-shirts auf der Haut klebte.

Ich kaufte sechs Dosen Bier und eine Flasche Dr. Pepper, hörte das Schließen der automatischen Glastüren hinter mir und leerte den braunen, klebrig-süßen Inhalt durch ein Kanalgitter.

Zum Park waren es nur wenige Schritte. Gerhard lag mit nacktem Oberkörper im Gras, der Grisham aufgeschlagen daneben. Als ich ihm die Flasche reichte, sah er auf, roch einmal kurz daran und trank dann kommentarlos. „Die Mineralwasserflaschen sind alle durchsichtig“, erklärte ich.

Um punkt 16 Uhr versperrte uns der Arzt den Weg zu Manuels Zimmer. Durch den Sonneneinfall vom Gangfenster konnte ich sehen, dass seine Brille völlig verdreckt war. Er gestikulierte wild, wie es nicht seine Art war, sagte etwas von „größer werden“ und „bedenklich“, während er auf seinen eigenen Kopf zeigte. Danach hörte ich nichts mehr, obwohl ich mir sicher war, dass er weiter sprach. Ich blickte auf die bläulichen Lippen in dem alten Gesicht des Doktors und die Welt herum verschwamm.

Sie hatten uns ins leere Wartezimmer im Erdgeschoß gesetzt. Gerhard starrte in seinen Grisham und ich erinnerte mich an seine Worte: „Wir müssen etwas tun“, hatte er gesagt. Aber es gab nichts. In meinen Händen hielt ich einen Pappbecher mit Kamillentee, den mir die Schwester gegeben hatte. Über die Stunden war er längst kalt geworden.

Als ich gegen 23 Uhr hörte, wie die elektrischen Schiebetüren hinter meinem Rücken zugingen, hatte ich das Gefühl, keinen Schritt mehr tun zu können. Gerhard war beim Lincoln, hantierte mit den Schlüsseln, als wäre er zu ungeschickt, das Schloss zu finden. Ich sah ihn an, wie er unter der Straßenlaterne stand mit einer Hand auf der staubigen Wagentür, die andere am Schlüsselloch hantierend und er blickte zurück. Seine Augen waren gerötet, seine Wangen überzogen mit Bartstoppeln, die Haare wirr und fettig wie ein krankes Gewächs, das aus seinem Kopf wucherte. Für Minuten standen wir da und er hörte nicht auf, mit den Schlüsseln zu rasseln.

Nachts im stillen Motelzimmer. Ich rauchte ununterbrochen und drückte die Zigaretten am nackten Tischholz aus. Gerhard saß neben mir. Er nahm die Stummel und legte sie der Reihe nach nebeneinander, als wollte er Ordnung schaffen. Am Rückweg hatten wir eine Flasche Wodka gekauft. Die Bierdosen lagen längst leer am Boden. Gerhard stand auf und legte sie wie die Zigarettenstummel zuvor nebeneinander, so dass eine in die andere passte: eine durchgängige Reihe.

Wir tranken den Wodka aus bunten Zahnputzbechern, die wir im Badezimmer fanden. Kein einziges Mal prosteten wir uns zu, tranken und füllten nach. Als die Flasche halb leer war, klappte Gerhard sein bartstoppeliges Unterkiefer herunter und stieß Luft durch. Es klang wie ein Lachen. Seine dreieckige Zunge leckte dabei über seine Vorderzähne, während er mich mit seinen geröteten Augen ansah, als würde er mit mir sprechen.

Ich drückte eine Zigarette auf dem Tisch aus, wobei ich immer eine andere Stelle suchte. Es war ein Muster aus schwarzen Ascheflecken, eine Spirale, die ich von außen anfing und die mit jeder gerauchten Zigarette immer kleiner und enger wurde. Bei jedem Ausdämpfen sah ich zum Telefon, starrte für mehrere Sekunden auf den schwarzen Hörer, bis ich die nächste Zigarette entzündete und Gerhard den Stummel nahm und in die Reihe über der Spirale einordnete.

Das Ende war nur eine Frage der Zeit. Stunden später war die Spirale fertig, ihre inneren Windungen so schmal und eng, dass kein weiterer Aschefleck mehr Platz finden konnte. Die Flasche Wodka lag am Boden. Gerhard über der Klomuschel. Er bestand darauf, weiter zu trinken. Wir wären kurz vor dem Ziel und dürften nicht aufgeben. Wir wollten es richtig machen. Das Bild, sagte er und seine Augen fuhren irr in ihren Höhlen herum, müsse vernichtet werden. Es müsse zerfallen wie zu Staub und ich dachte an Wind, nur eine Prise, der dann alles wegwehen würde und alles würde ungeschehen und ungedacht sein können.

Gerhard kam vom WC zurück. Er stützte sich am Türrahmen ab und schaffte es endlich, die andere Hand auszustrecken und auf die Minibar zu deuten, die ich soeben geöffnet hatte. Er verzog das Gesicht, hielt die Hand vor den Mund und starrte wie in gelähmter Angst auf die kleine Flasche Wodka, die ich herausholte. Für einen Moment dachte ich, er müsse sofort erbrechen, dann fing er sich und fixierte die durchsichtige Flüssigkeit wie ein Bergsteiger den zu erklimmenden Gipfel.

Ich hatte die Spirale aus Asche vollendet. Ich rauchte nicht mehr, aus Angst darüber, keinen Platz mehr zu finden, starrte auf meine zitternden gespreizten Finger, dann auf Gerhard, der wankend näher kam, seinen Arm ausstreckte wie ein Hilfesuchender und schließlich die Flasche aus meiner Hand nahm. Er lachte tonlos und vergaß für einige Zeit den Unterkiefer wieder zuzuklappen. Dann schraubte er sie auf und schüttete mit verklärtem Blick ein, während er zu sprechen begann. Er wüsste, dass es da wäre, das Bild mit dem Fleisch, das mehr als das war, denn es hinge zusammen, wäre verbunden, verschiedene Stücke Fleisch verbunden zu einem Ganzen, zu einem Ganzen, das lebte, das atmete. Ich stand auf, schaffte es irgendwie zur Klomuschel und übergab mich. Es müsse verschwinden, sprach er weiter ohne mich zu beachten.

Als ich zurückkam, lag er auf dem Bett und weinte. Ich starrte auf den schwarzen Hörer - länger diesmal, vielleicht eine ganze Minute. Die Zeit schien stehen geblieben zu sein, die Welt nicht größer sein als dieses eine kleine Motelzimmer in der Nähe Detroits. Ich griff nach dem Zahnputzbecher und versuchte, den Ekel zu überwinden. Gerhard noch immer am Bett, weinend, trank im Liegen und verschüttete Flüssigkeit auf Gesicht und Kleidung. Für Minuten spürte ich das Brennen im Leib. Dann nahm ich die Packung Zigaretten vom Tisch, steckte mir eine in den Mund und entzündete sie.

Es war kein Platz mehr in der Spirale. Ich begann zu weinen, rauchte zwischen den Tränen und fixierte die glühende Spitze, als könnte ich sie dadurch abhalten, weiter zu brennen. Dann sprang Gerhard plötzlich auf und hielt sich sein rechtes Auge, das er mit Wodka beschüttet hatte. Nach nur einem Schritt fiel er nieder, blieb für mehrere Sekunden regungslos am Boden, bevor er wieder hoch kam. Ich bewegte mich nicht.

Liegend begann er wieder zu sprechen. Ob es schon zerfallen sei, fragte er. Wir versuchten einander anzusehen, aber unsere Augen folgten keinem Ziel mehr. Ein letztes Mal zog ich an der Zigarette, nahm sie aus dem Mund und versuchte den genauen Mittelpunkt meiner Handfläche ausfindig zu machen. Sekunden später war alles vorbei.

Als das Telefon läutete, sprang ich ruckartig auf. Der Tisch fiel zur Seite. Ich hörte das Aufschlagen von Glas und Aluminium. Dann war es totenstill im Zimmer. Eine weibliche Stimme meldete sich, fragte nach meinem Namen. Es sei wichtig. Ich dachte an das Geräusch einer Schaufel, die in feuchte Erde stößt, aber sie sprach so schnell weiter, dass mir das Bild vor Augen zerlief. Sie entschuldigte sich. Es sei noch sehr früh, aber unser Wunsch wäre es gewesen, zu jeder Zeit informiert zu werden. Gerhard stand neben mir und hielt den Atem an. Er wankte nicht mehr und lachte nicht mehr, stand einfach da und beide Arme hingen an ihm herab, als würden sie nicht ihm gehören. Wir hatten keine Zeit, um zu denken. Die Frau am anderen Ende der Leitung ließ nicht locker. Gute Neuigkeiten, sagte sie. Es sehe so aus, als würden die Antibiotika nun doch wirken. Ganz plötzlich, sagte sie, völlig unvermittelt. Sie schwieg für eine Sekunde und lachte dann an unserer Stelle in die Gesprächspause hinein. Vor neun könnten wir noch vorbeikommen. Sie mache eine Ausnahme.

Als ich auflegte, blitzten draußen erste Sonnenstrahlen über der hässlichen Skyline Detroits. Ich bückte mich, nahm die leere Flasche Wodka, die am Boden lag und ging damit so sicher, als hätte ich nie getrunken zum Mistkübel im Zimmer. Gerhard stand am Fenster und hielt den schwarzen Hörer an seine Wange. Wir bräuchten ein Taxi, sagte er.

Geburten

für K.

Komm und küss mich, sagte ich. Ich will in dir suchen, denn vielleicht ist in dir, was ich nirgendwo anders fand. Ich sah deine zornigen Götteraugen, bemerkte, wie heiß deine Haut war und lachte. Verbrenn mich doch, nichts will ich mehr, denn ich bin lieber Asche als Eis. Komm, küss mich, verbrenn mich.

Ich sah, wie ihr Körper brach unter meiner Gier, wie sie sich wehrte. Sie wolle nicht, rief sie, erneut das Blatt sein. Die Frucht wachse grob aus ihr und reiße ihr die Organe aus dem Körper. Nie wieder, rief sie, wolle sie gebären, nie wieder dem Fremden dienen, der sie nahm ohne sie zu fragen, ihren Willen brach, sie benutzte und achtlos liegen ließ, wenn sie zu alt war, um Neues in diese Welt zu bringen. Wie hätte ich auf sie hören können?

Ich spürte ihre heiße Zunge, mein Verlangen wurde nur größer. Als ihre Hände klauengleich mein Innerstes zerrissen, hörte ich nur den tiefen Laut des Entzückens aus meiner Kehle, den Ruf des Wahren, wie ich dachte. Komm, zerreiß mich, sagte ich und drängte sie weiter. Sie gebar mir wie ein Tier die Kinder, die ich zur Welt bringen wollte. Ihr Leib war gebläht, als ich diese Kinder aus ihrem Schoß nahm; der Hass, der mich aus ihren Augen traf, konnte mich nicht kümmern. Ich hielt diese Kinder, küsste ihre verklebten Gesichter und warf ihre Körper erst auf den gebrochenen, verschwitzten Leib der Mutter zurück, nachdem ich die Kleinen ausgesaugt hatte und nichts mehr darinnen war. Ich war ein grässlicher Vater, doch es war nicht das Vatersein, das mich am Leben hielt, sondern das Herausziehen dieser Kinder aus ihrem Schoß, die Freude über jedes kleine Gesicht, das ihr und mir glich.

Sie wolle sie nicht mehr, rief sie, als die unzähligen kleinen Körper auf ihrer nackten Haut lagen. Hässlich seien sie, diese blutleeren Leiber, jeder für sich eine Schande für sie und mich. Sie wäre nie bereit gewesen, wolle diese Kreaturen ein Leben lang verachten wie sonst nur mich. Sterbt doch, rief sie und ich hörte, wie ihr die Stimme brach und sie jedes Einzelne von sich schleuderte.

Nichts stärker als diese Gier. Als ich erneut an sie herantrat und ihr tote Leiber und mir die Lust der Geburt schenken wollte, hasste sie mich mehr als jede andere zuvor. Den Vater wolle sie nun richten, presste sie aus blutlosen Lippen. Sie legte mir heißes Eisen auf die Brust, doch ich lachte noch, als ich sah, wie mir die Haut verkohlte. Verbrenn mich doch, sagte ich, küssen muss ich dich. Ihre Lippen stießen mir brennend die ganze Gewalt ihrer Verachtung in den Körper. Nichts besser als das, dachte ich, im Schmerz wirst du mir die schönsten Kinder schenken. An diesem Tag machte ich sie erneut zur Mutter, die sie nie hatte sein wollen. Stärker und größer waren diese kleinen Körper als jede zuvor, gewaltige Wesen, die nach Wahrheit schmeckten, als ich sie aussaugte.

Das Feuer, mit dem sie mir den Körper verbrannt hatte, machte sie zu dem, was mich am Leben hielt.

Was kümmern mich die verkohlten Flecken, die du mir hinterlässt? Die Kinder, deren Körper du hassend in den Sand geworfen hast, werden mich ewig an dich erinnern.

Der Paul, der alles richtig machen wollte

Paul ist gerade mal einen Meter siebzig, aber das tut nichts zur Sache. Weil, in so einem Moment tut nichts mehr etwas zur Sache, weil die Sache einfach zu groß ist, zu wichtig, als dass da noch irgendwas oben Platz hätte. Wenn man da oben was draufstellen würde, das würde sicher herunterfallen. Und so wie Paul jetzt in der Garage steht wie jemand, der eine Reise antreten will, und seine bübischen Lippen nach oben zieht, weiß er das ohnehin. Seine Hände mit diesen viel zu langen Fingern hat er in die Hosentaschen gesteckt und wankt ein bisschen vor und zurück mit seinem Oberkörper. So, als würde ihn etwas bewegen. Aber Wind ist das keiner. Die Garagentür hat er ja zu gemacht. Da kommt nichts durch, nicht einmal ein Lüfterl.

Er wäre dann soweit, sagt der Paul und: Jetzt könne es ja losgehen. Aber ich meine, er wartet ein bisschen zu lange. So wird das nichts. Fest entschlossen schaut anders aus. Er ist ja sonst ein Kerl, von dem seine Eltern sagen: der Paul, wenn der was angeht, dann macht er´s auch richtig. Aber so wie der jetzt hin und her wackelt. Klare Sache: Der ist nervös. Dabei, das muss man schon sagen: Er hat alles gut geplant. Beim Planen ist er immer gut gewesen. Das Auto hat er voll getankt und sogar noch auf der Tankstelle waschen lassen. Und die Garagentür hat er auch zugemacht. Da ist er sehr gewissenhaft. Der Paul ist niemand, der unüberlegt handelt.

Nicht aus dem Bauch heraus. Also vorbereitet war alles. Aber jetzt, jetzt steht er einfach nur da, noch immer mit diesen Beamtenhändchen in den Taschen und tut nichts!

Man könnte meinen, er wartet noch auf jemanden. Ich glaube sogar, dass seine Augen sich ein bisschen bewegt haben und wirklich die Stufen hinauf geblickt haben, die aus der Garage führen. Also: Hoffnung hat er noch, der Paul. Aber gekommen ist deswegen auch niemand. Weil: Wenn einer allein in der Garage steht, kann er Hoffnung haben, was er will. Das kümmert die Welt einen Scheißdreck.

Ein paar Minuten später sitzt er dann auch wirklich im Auto und schnappt sich das Lenkrad mit seinen zarten Fingerchen. Es ist ungewohnt, muss ich zugeben, den Paul so in seinem Auto zu sehen, weil er ist ja sonst immer völlig korrekt. Da gibt´s keine Pioneer Pickerln auf der Heckscheibe, nur vielleicht der kleine Heckspoiler, gut, aber der war ja schon vorher drauf. Aber so jetzt, wie er da so drinnen sitzt, sieht es ein bisschen komisch aus mit diesem Schlauch, den er sich am Vormittag gebastelt hat und der ihm jetzt durch den Fensterspalt in die Fahrerkabine hängt. Also: dicht ist der bestimmt, der Schlauch, das ist keine Frage. Da kann der Paul Gift drauf nehmen. Aber das will er ja nicht. Da denkt er dann immer an diese kleinen Mäuse, die dann an den unmöglichsten Orten einfach verrecken und wochenlang dahin stinken.

Nur der Anblick jetzt ist halt gewöhnungsbedürftig. Obwohl: Das hat er schon gut gemacht. Das Ende vom Schlauch hat er so zusammengepresst, dass es in einen ganz kleinen Schlitz beim Fenster hinein geht. Da kommt sicher nimmer viel Luft herein so. Da hat er sich schon was dabei gedacht.

Was Paul jetzt natürlich nicht sieht ist, dass draußen gerade die ersten Flocken vom Himmel fallen. Und das ist wirklich ein herrlicher Anblick. Das hätte ihm auch gefallen. Ich glaube sogar genau in dem Moment, in dem Paul den Zündschlüssel ins Loch steckt. Und am Rathausplatz mitten im Dorf schenkt der Herr Bürgermeister persönlich Glühwein aus. Das ist schon ungewöhnlich. Dass das genau gleichzeitig passiert.

Und jetzt startet der Paul schon. Los geht´s, denkt er, jetzt gibt´s kein Zurück mehr. Aber da hat er sich geirrt. Die Zündung jault nur sekundenlang, aber der Motor geht nicht an.

Wenn man so im Auto sitzt und einen Schlauch in die Fahrerkabine hängen hat, und dann geht der Motor nicht: Das ist schon deprimierend. Vor allem für Paul, der ja überlegt handelt. Der hält den Zündschlüssel jetzt viel zu lange auf der Startposition. So etwas muss natürlich mir passieren, sagt er. Dabei ist es genau Mitternacht. Und schon hüpft der Datumsanzeiger seiner Armbanduhr einen Tag weiter. Die sind da erbarmungslos. So Uhren interessieren andere Dinge überhaupt nicht. Dabei, genau das Datum, das will der Paul ja nie wieder sehen. Aber er schaut trotzdem drauf. Und da steht dann eben: Vierundzwanzigster Dezember.

Was man sicher sagen kann, ist, dass der Paul ein Pechvogel ist. Heute Abend zum Beispiel. Ein Mann wie er, darf sich ja auch manchmal was leisten. Eine Henkersmahlzeit zumindest, das steht ihm zu. Und was Paul wirklich gern hat, sind Mohnnudeln. Da könnte er sterben dafür. Aber wie er dann das nackte kalte Ding in die Mikrowelle gibt, hat er einfach irgendwie das Rad zu weit gedreht. Und bei diesem Ping, wo ihm normalerweise das Wasser im Mund zusammenlaufen sollte, weil das Essen jetzt fertig ist, waren die Mohnnudeln gar nicht mehr lecker, so wie Paul sie gerne hat, sondern ganz schwarz. Und da kriegt Paul die Panik, weil er denkt: Ohne Henkersmahlzeit keine Hängung.

Ja, und die schwarzen Mohnnudeln, die hat er dann einfach nicht mehr gegessen. Die stehen nach wie vor in der Mikrowelle. Paul ist hungrig sterben gegangen. Ohne Henkersmahlzeit. So kindisch, hat er sich gedacht, muss ich jetzt auch nicht sein. Dass ich nur sterben kann, wenn ich vorher was gegessen habe. Das ist ein alter Brauch, hat er gesagt. Aber bei mir muss das nicht sein. Ich bin ja mein eigener Henker. Ich darf mich verurteilen, wie ich will und wenn ich sag: Bei mir kriegst du keine Henkersmahlzeit, du Schwein, weil du so ein schlechter Mensch warst, dann ist das schon okay so. Aber die Mohnnudeln, auf die hätte er jetzt schon noch Guster.

Und dann steigt er endlich wieder aus dem Wagen und in der nächsten Sekunde hat er schon sein Handy in der Hand, er, der moderne Sterber. Nur nicht nervös werden, denkt er. Es gibt immer einen Ausweg.

Ja, es hat ja geheißen vierundzwanzig Stunden Service, sagt der Paul dann, also regen Sie sich nicht auf. Seine Hand (die mit den langen Fingern) fuchtelt ganz wild herum, aber nicht, weil er nervös ist, sondern aus Wut. Weil der Paul ist ja Konsument und hat immer brav gezahlt. Er ist einer, so denkt er, der immer gegeben hat, den Mitgliedsbeitrag, und nie genommen. Und jetzt will er was zurück. Jetzt will er Hilfe haben.

Also was ist jetzt, sagt der Paul. Ich steh da in meiner Garage und komm nicht weg. Und er weiß genau: Oje, das wird hart, das ist ein sturer Hund da auf der anderen Leitung, jetzt musst du alles geben, Paul, sonst serviert der dich ab wie nix. Weil der fängt schon an: Ja, Herr Paul, jetzt hängen viele Autos. Da kommt jetzt keiner weiter. Es hat ja gefroren, das haben Sie ja gemerkt, da stehen die ganzen alten Kraxen immer in den Garagen und wollen nicht mehr. Und alle haben es eilig. Wissen Sie, das überlegen sich die Leute ja auch zu den blödesten Zeiten, dass sie wegfahren wollen. Also heute bzw. bis zur Früh (weil heut is ja nimmer heut, heut is ja eigentlich schon gestern, so genau denken die da mit), das können Sie vergessen.

Und der Paul steht da und drückt nur noch die rote Taste zum Auflegen. Ein paar Sekunden schaut er blöd auf das Display, bis das Licht ausgeht, dann steckt er das Handy wieder ein. Und plötzlich hat er das Gefühl, nicht mehr allein zu sein. Weil plötzlich ist da so ein Kerl in der Garage, der so ähnlich aussieht, wie der, der ihm in der Volksschule immer den Zirkel in den Hintern gestochen hat. Der ist jetzt bei Paul, damit der Paul nicht mehr so alleine ist. Aber der ist ganz anders angezogen als damals. Der hat einen schwarzen Anzug an, so richtig aufgetakelt ist der, und in der Hand hält er ein Programmheft. So eines, wie man im Theater kaufen kann.

Der setzt sich auf einen Sperrholzstuhl in der Garage und blickt abwechselnd auf seine goldene Uhr und auf Paul. Dabei schlägt er die Beine übereinander und hebt erwartungsvoll die Augenbrauen, während die Spitzen seiner Lackschuhe ein bisschen auf und ab wackeln. Na, sagt der. Lang warten wir nimmer.

Und da sieht Paul, dass der nicht allein gekommen ist. Nein, da sind plötzlich dutzende solcher Sesseln. Und überall vertraute Gesichter: ehemalige Schulfreunde, ehemalige Lehrer, Kollegen aus der Arbeit. Alles Bekannte, denkt Paul. Und jeder hat ein Programmheft in den Händen. Aber sie sind unruhig.

Zwölf Uhr hat es geheißen, ruft einer. Das ist so ein freundlicher, alter Herr. Den kenn ich doch, denkt Paul und lächelt. Schau wie lieb: Sogar seine Eltern haben sich Zeit genommen. Dass die an ihn gedacht haben. Wann gehts denn los?, will die Mama, die daneben sitzt, jetzt wissen. Paul, sagt sie, jetzt wirds aber Zeit.

Da wird der Paul nervös. Weißt du, Mama, weißt du, liebes Publikum, stammelt er: Es ist das Auto. Das ist kaputt. Ihr seht ja, ich hab den Schlauch ja schon vorbereitet, sagt er und da recken sich die Köpfe und nicken anerkennend. Alle Achtung, sagt einer sogar, wirklich sauber gearbeitet, da kommt keine Luft mehr durch. Und prompt steht der Papa auf und schlägt sich auf die Brust: Ist ja auch mein Sohn, ruft er. Er mag es, wenn die Leute stolz sind auf Paul. Da hat ja der Vater auch immer etwas davon. Da kann sich so ein Vater ruhig eine Scheibe abschneiden, weil von allein ist da nichts.

Aber bitte, sagt der Paul noch einmal, das Auto geht nicht. Und blickt abwechselnd zu Mama und Papa. Bitte, liebe Eltern, ihr dürft nicht enttäuscht sein. Ich hab es ja nicht so gewollt. Da steht der Papa auf. Aber Paul muss keine Angst haben. So ein Vater, das weiß Paul, der meint es ja ohnehin immer gut. Na, wenn jetzt dein alter Herr nicht wäre, sagt der Papa schon und geht vor zum Auto und macht die Motorhaube auf. Weil so ein Vater kann gar nicht alt genug sein, dass er nicht noch dem Sohn aus der Patsche hilft.

Wegen dir, sagt er, mach ich mir die Hände schmutzig. Könntest dich ruhig bedanken.

Väter haben da ja ein besonderes Talent. So ein Vater, der macht da ja nur kurz einmal die Motorhaube auf (wichtig: die Arbeitshandschuhe) und ein, zwei Handgriffe später läuft das Ding schon wieder. Wirst sehen, sagt der Papa, so gut ist der noch nie gelaufen. Und als er sich wieder hinsetzt, lächelt Paul ihm zu. Danke Papa, sagt er, du bist der liebste Papa auf der ganzen Welt.

178 Kilometer nach Süden

Um genau 5:59 blicke ich auf die Zeiger der Uhr wie sie auf 6:00 springen und weiß, dass alles zu spät ist und nichts mehr mich retten kann. Ich drehe das Licht an und stehe auf als hätte ich die Stunden davor wirklich geschlafen.

Im Badezimmer steht eine Badewanne, in der ein Mensch wie ich genau Platz hätte, doch was drinnen liegt, ist kein Körper, sondern nur kleine Wasserperlen als hätte jemand hier geweint, doch es hat niemand geweint, denn es ist niemand hier. Und als ich den Hahn aufdrehe, um mir endlich die dreckigen Hände zu waschen, denn ich fühle mich ekelhaft, ist das Wasser bloß durchsichtig und ich sage: das gibt es doch nicht, das gibt es doch nicht und ziehe mich an, weil ich doch nicht duschen kann, wegen dem Mann, der in der Wanne liegt drinnen, obwohl gar niemand hier ist.

Eine Stunde später bin ich eine Stufe weiter am Schafott, denn ich sitze bereits im Auto und ich habe das Radio nicht angedreht wie sonst jeden Tag, sondern höre nichts als das Brummen des Motors und die Scheibenwischer und fühle mich wie ein Gott, weil ich nicht verstehe, noch, und fahre los im silbernen Auto, weil ich glaube, dass wenn ich ganz laut „Freiheit“ schreie das auch „Freiheit“ ist, denn diesmal darf das Wort mich ja doch nicht im Stich lassen, nicht wahr? Und ich merke es nicht, dass da ein riesiges Spinnennetz ist und ich fahre noch immer und freue mich über die Regentropfen und über die Landschaft draußen neben der Autobahn und über den Eifer in mir drinnen und sehe gar nichts, so laut klingt das Wort „Freiheit“ immer in mir. Ich nehm´ auch den Gurt und schnalle mich fest an, wenn ich einsteige ins Auto und könnte lachen darüber, aber stattdessen will ich ja immer nur „Freiheit, Freiheit“ hören, aber es klingt mir schon zu laut. Und es regnet weiter draußen und ich mache weiter immer wieder Halt und rauche und höre und immer wieder heißt es „Freiheit, Freiheit“, aber es klingt doch wie „Hilfe, Hilfe“ auch wenn ich´s noch so laut höre und ich seh´ auf die Uhr und es ist 9:00 und ich denke: jetzt ist das Messer aber runtergesaust und ich fahre endlich ab von der Autobahn, weil dort wo ich hinfahre, sind ja keine Menschen, oder? Und um 11:00 habe ich einen Platz gefunden und sag mir, dass ich ja nur die Beine vertreten will, haha!, doch in Wahrheit, haha, in Wahrheit weiß ich doch, dass es jetzt losgeht, dass jetzt endlich Nägel mit Köpfen gemacht werden und ich gehe in einen Supermarkt irgendwo, doch die haben auch bloß so kleine Messer und damit kann man doch gar nicht richtig schneiden. Da steig ich dann lieber wieder ein und irgendwo trinke ich dann noch einen Kaffee und Kuchen, denn man muss ja doch außerdem noch was essen, und ordentlich Trinkgeld auf die süße Hand der Kellnerin. Und sie sagt: Schönen Tag noch und ich lache, weil mir das gefällt ihr Zynismus und ich lache, aber ich bin schon wieder im Auto und allein im Auto lache ich ja nicht mehr so laut.

Dann ist das Wort immer lauter und lauter und immer wieder Freiheit, Freiheit, wer hält es denn aus und ich halte, denn der Tank ist leer und sage: Vollmachen und lächle und muss doch nur mal pinkeln, doch vom Waschbecken tropft nur rotes Wasser aus dem Hahn ins Becken und drinnen ist der Spiegel in tausend Scherben zerbrochen und ich blicke auf meine Hände und sage: Bin´s ich? Bin´s ich? Doch wer sonst und dann weg, nur weg, denn mein Herz zerreißt es ja schon und draußen ist die Luft gleich besser und das Wort ist nicht mehr so laut draußen vor der Tankstelle und das Auto ist auch schon aufgetankt. Einen schönen Tag, wünsch ich noch, denk ich mir, schönen Tag, hat sie doch gesagt, aber wer ist sie schon? Und ihr Kopf ist ein Hyänenkopf, wenn sie lacht und sie streckt mir ihre Hyänenpfote entgegen und ich geb´ auch noch Trinkgeld drauf und lächle noch, wenn sie: schönen Tag, schönen Tag sagt. Draußen regnet es auch schon, es ist ja Herbst, und drinnen regnet es und überall Wasser und ich lasse den Motor an und fahre, doch ich bin schon am Ziel und die Bundesstraße wird enger und nichts hört sich mehr nach Freiheit an, immer nur Hilfe, Hilfe und es regnet und regnet, dass ich gar nicht mehr durchsehen kann durch die Scheiben, durch die Linsen.

178 Kilometer Fahrt und ich bin schon am Ziel, bin mit dem Ziel schon weggefahren, ich mach doch nur Umwege und ich stehe auf dem Parkplatz und neben mir das silberne Auto.

Noch eine Zigarette, schnell, nur noch eine, eine und ich steige noch eine Stufe weiter aufs Schafott und denke: weit kann´s ja nicht mehr sein, bis die Schachtel leer ist und der Kopf wieder voller Müdigkeit und wieder alles klingelt nach Freiheit und in mir alles regnet nach Hilfe. Und lauter, immer lauter denk ich: Wer fängt mich denn? Wer fängt mich denn? Und niemand hört´s natürlich und ich sag mir: Jetzt ist es aber schon runter geschnellt, das Messer, jetzt kriegt ihr mich ja doch nicht mehr, ihr Schweine. Und so laut hör ich´s, dass ich brüllen muss und ich brülle auf dem Parkplatz, doch es klingt nicht mehr nach Freiheit und es kann mich doch nicht mehr treiben. Es regnet weiter in mir und weiter Hilfe, Hilfe hör ich´s rufen in mir und vor meinen Augen liegen die Zigarettenstummel, die ich geraucht habe und denke: Verdammt, ich verliere, ich verliere, verliere und glaube zu sinken, denn der Parkplatz ist nur Schmutz und Algen und die Zigarettenstummel liegen zerdrückt am Beton und ich habe verloren und weiß noch nicht, was es bedeutet und glaube nur, dass ich wieder versagt habe.

Die nächste Stunde ist die erste von 336 und ich denke nicht mehr und rufe nur: Gebt mir, gebt mir und sie nehmen mir alle Gedanken und lassen mich wie eine Hülle umhergeistern und glücklich sein. Und danach sehe ich, wie sie mir sechs Quadratmeter Seelenscherben schenken und sagen: Du musst, du musst und darfst keinen verlieren, keinen verlieren, hörst du? Und ich ordne und ordne und höre nun gar nichts mehr aus lauter Angst vor diesem einen Wort.

Lena

In diesen letzten Sekunden wird alles klar. Jedes Wort von ihr, jede Geste erhält nun eine andere, zusätzliche Bedeutung, die bitteren Sinn macht. Doch hätte ich damals gewusst, was ich jetzt weiß, in genau diesem Augenblick, in dem niemand das fallende Beil mehr zu stoppen vermag – was hätte ich anders machen wollen? Die Frau trat in mein Leben wie ein Messer, das sich tief ins Fleisch bohrt. Sie ist der Retter, der die Klinge tiefer stößt, um sich selbst das meiste Leid zu verschaffen.

Der erste Abend mit ihr in einer Bar in Oulu erscheint mir nun wie Jahre her und doch sind es nur diese paar Tage: ein Kellergewölbe, einzelne Sitzecken mit zerkratzten Holztischen und Bier aus Plastikbechern, das aussah wie schaumig gerührter Urin. Ich rauchte finnische Zigaretten, während sie noch draußen in der Schlange vor dem Lokal stand, frierend bei Minus 25 im Februar. Später würde sie sagen, dass sie es nur ein einziges Mal in ihrem Leben, an genau diesem Abend, betreten habe. Im Lärm des Lokals hörte ich ihre Schritte nicht. Ich weiß nicht, wie lange sie bereits dagestanden hatte. Erst die schwarzen Haare, die sich bewegten, als würden unsichtbare Finger darin spielen, machten mich aufmerksam. „Cigarette“, sagte sie auffallend bestimmt (es klang wie ein Befehl, obwohl sie lächelte). Ich gab ihr eine. Sie setzte sich ohne Aufforderung. Als ich ihr Feuer gab, berührte ich ihr

Haar: Millimeter meiner Haut dabei wie unbeabsichtigt auf ihrer Wange. Sie trug ein schwarzes Kleid über bleicher, glatter Haut, die sich über ihre hervortretenden Knochen spannte, als wollte sie zerreißen. Etwas sagte mir, dass der Grund für ihr Dasein mehr sein musste als mein betrunkener Körper auf dieser finnischen Holzbank. Während ich das schaumlose Bier in mich leerte, sah sie mich an. Ihre dünnen Lippen stülpten sich über den Zigarettenfilter und ich sah, wie sich ihr schmaler Brustkorb hob, als sie inhalierte. „You are so much like him“, sagte sie. Es war der erste Satz, den ich von ihr hörte. Sie sprach mit slawischem Akzent. Ich dachte an einen Freund, den sie damit meinte. Wie hätte ich wissen sollen? Anstatt danach zu fragen, legte ich meine Hand auf ihr Knie. Nun wird sie gehen, dachte ich, doch sie ließ es geschehen, zog erneut an ihrer Zigarette und hatte dabei einen Blick, als würde sie durch mich durch sehen. Ich spürte die Haut unter den Strümpfen, dachte plötzlich daran, dass alles nur Fleisch war, Körper, nichts weiter (ich war betrunken) und strich mit meiner Hand über ihr Knie. Ich blickte in ihr Gesicht, klebte mit meinen Augen an ihren dünnen Lippen und dachte, dass alles mein sein könnte. Endlich dämpfte sie aus und nahm meine Hand von ihrem Oberschenkel. Sie legte sie zwischen ihre beiden Hände, blickte mich an (ich hatte Mühe, geradeaus zu sehen) und küsste schließlich jeden meiner Finger, während sie etwas sagte, das ich nicht verstand. Sie wirkte auf eine seltsame Art glücklich und traurig gleichzeitig. Ich hatte das Gefühl, dass ich irgendetwas nicht verstanden hätte, nicht verstehen könnte, noch, aber ich war zu betrunken, um darüber nachzudenken. Als ich mir eine weitere Zigarette anzündete, legte ich meinen Arm um ihre Schulter und zog sie näher an mich. Von der Seite sah sie mich an und ich wusste nicht, was ihr Blick bedeutete. Ich konnte nicht verstehen. Für einige Sekunden stummer Blickkontakt, dann lachte ich und sagte mir, dass ich nicht verstehen müsse, während ich meine Hand endlich in ihre Haare grub und sie dicht an mich heran zog, bis unsere Lippen nur wenige Millimeter voneinander trennten. Zwischen meinen Fingern ihr Nacken zerbrechlich wie der eines neugeborenen Kätzchens. Ich glaubte die Luft, die sie ausatmete, auf meiner Wange zu spüren. Dann wich sie zurück, legte ihre flache Hand auf meine Wange und küsste mich zwischen ihre geöffneten Finger. Ich verstand nicht, kam noch einmal näher: meine Hand dabei auf ihrer Hüfte, dann gierig auf ihrer Brust. Sie atmete hastig, als würde ich ihr Schmerzen zufügen. „You should go now", sagte sie, doch sie lächelte noch immer. „You are drunk." Wieder hatte sie meine Hand zwischen ihre schlanken, bleichen Finger genommen. Etwas in der Art wie sie mich ansah, erschien mir falsch, ihr Lächeln zu vertraut. Ich sah, wie ihre Unterlippe leicht vibrierte. Sie ließ meine Hand los und umarmte mich, während sie mir Worte ins Ohr flüsterte, die ich nicht verstand. Als sie von mir ließ, sah ich, dass sie weinte. „I am Lena", sagte sie. Ich hörte, wie sie etwas sagte, das wie „miracle" klang, danach erneut slawische Wörter, die ich nicht verstand. Aus einer Ledertasche nahm sie einen roten Lippenstift, mit der anderen Hand meine Zigarettenschachtel vom Tisch. Wir müssten, sagte sie, in Kontakt bleiben. Ich weiß noch, wie sie „please" sagte und mich dabei ansah, als würde ich damit über ihr Leben entscheiden können. Dann stand sie auf, legte noch einmal für Sekunden ihre kühle, weiße Hand auf meine Wange und ging. Als ich endlich begriff, dass sie fort war, drehte ich mich nach ihr um, doch ich sah sie nicht mehr. Die Bar war beinahe leer. Ich begann zu zweifeln, trank den letzten Rest aus dem Plastikbecher. Dann legte ich meine Hand auf die Holzbank, an der sie neben mir gesessen hatte, als würde ich hoffen, noch ihre Wärme zu spüren. Ich bestellte noch einmal – ein Letztes, sagte ich zu mir. Die Zigarettenpackung war leer. Ich suchte nach Beweisen, nach langen, dunklen Haaren auf dem Holztisch, doch ich fand nichts. Als ich an diesem Abend in meine Wohnung zurückkehrte, schien es mir, als wäre sie nie da gewesen. Nur die Erregung blieb. Würde ich es nicht besser wissen, ich würde es Zufall nennen, dass ich damals die leere Zigarettenschachtel mitgenommen hatte.

Die Ereignisse des Vortags schlitterten am Morgen darauf weiter ins Ungewisse. Kopfschmerzen verwässerten die Erinnerung. Als ich aus dem Fenster sah, blickte ich wie in ein dunkles, schwarzes Loch, doch die Zeiger der Uhr an der Wand waren eindeutig. Das Wort „Morgen" schien absurd in dieser Stadt: Acht Monate im Jahr löschte Finsternis alles Licht aus, als würde man eine riesige Plane über das Land legen. Über meinem Kopf hing eine eingeschaltete vierzig Watt Birne in der nackten Fassung. Ich hatte sie an einen Timer geschalten, der mich seit Monaten Tag für Tag weckte. Es war kein Ersatz für einen Morgen, aber anders schien es mir unmöglich, überhaupt aufzustehen.

Ich machte Kaffee. Nie zuvor hätte ich gedacht, dass ich die Sonne so vermissen könnte. Nun bereits zwei Monate hier ohne natürliches Licht. Wie ein Süchtiger hatte ich begonnen, jeden Mittag bei eisigen Temperaturen auf dem Balkon zu verbringen. Morgengrauen und Dämmerung wie gleichzeitig, als ob jemand einen Dimmer kurz anstellen würde, nur um zu sehen, ob das Ding noch funktioniert. Von einer Sonne war nichts zu sehen, nicht einmal zu erahnen. 11:25 auf der weißen Plastikscheibe an der Wand, als ich die Tasse aus dem Schrank nahm und mir Kaffee eingoss. Draußen erste Anzeichen: der Himmel heller, Wolken erkennbar: ein schmaler Lichtstreifen am Horizont. Ich nahm meinen Mantel und ging auf den Balkon. Die Türklinke nicht mit der bloßen Hand berühren, dachte ich automatisch. Meine Hände froren in kaum einer Minute zu gefühllosen Stümpfen. Trotzdem suchte ich nach Zigaretten in meiner Tasche, hielt mein Gesicht gegen die Helligkeit, die weit weg zu sein schien, als würde ich nicht besser wissen, dass kein Sonnenstrahl kommen würde, um mir das Gesicht zu wärmen. Als ich die Packung herausholte, waren meine Finger rot. Wie Blut, dachte ich. Die Packung leer. Erinnerungen kamen: endlich der gestrige Abend: sie: Lena, ihr Lippenstift. Meine Hände bereits wie tote Äste, als ich die Ziffern fand, die sie auf die Schachtel geschrieben hatte. Ich stellte die Tasse mit dem Kaffee auf den Boden und griff mit beiden Händen nach der Zigarettenpackung, in Angst, sie versehentlich fallen zu lassen. Morgengrauen am Himmel, dumpfes Licht; wieder kein Anzeichen einer Sonne. Bis zum Horizont erschien der finnische Wald wie zur Leiche erstarrt. Die Zeichen auf der Packung waren verschmiert. Unmöglich, sie zu entziffern, dachte ich stumpf, als ich begriff: Lenas Telefonnummer.

Minuten später am Telefon. Ich wählte falsche Nummern. Etwas trieb mich. Einige Zahlen waren erkennbar. Ich schrieb alle Kombinationen auf, wählte nach der Reihe. Jedes Mal sagte ich „Lena“, sobald sich jemand meldete, von mal zu mal stumpfer, mechanischer, als wäre ich eine Maschine, sonst nichts, nur „Lena“. Danach legte ich auf. Ich weiß nicht, wie oft ich ihren Namen an diesem Tag sagte. Mir schien, als würde dieses Wort mit jedem Mal bedeutender, bedrohlicher, wie eine geheime Formel, deren Wirkung ich nicht abschätzen konnte. Unaufhörlich stieß ich diesen Namen aus, als könnte ich nichts anderes mehr sprechen, nichts denken.

Dann endlich ihre Stimme als Antwort. Sie schien mich sofort zu erkennen: „It´s you“, sagte sie. Ich glaubte ihr Lächeln zu hören, dann zu sehen: die schmalen Lippen, die sich über ihren Kiefer spannten und ihre weißen, kleinen Zähne frei machten. Ich sagte nichts, nur noch einmal „Lena“, als hätte ich noch nicht erkannt, dass das Unwahrscheinliche geschehen war. Mein Kopf war leer. Für einige Sekunden

Schweigen in der Leitung, leises Atmen und ich dachte, ich müsse auflegen, jetzt, wo ich am Ziel war. Endlich sprach sie: Sie freue sich, sagte sie. Dann wieder Schweigen. Ich hatte die Augen geschlossen und dachte an ihre Haare. Sie habe so sehr gehofft, dass ich anrufen würde, sagte sie. Ich hörte, wie ihre Stimme leiser wurde, flüsterte und schließlich ganz brach. „Lena", sagte ich. Ich hatte Angst, sie zu verlieren, wenn ich nichts sagte, als wäre sie ein Stück Schilf, das einem durch die Finger gleitet, wenn man mit dem Boot vorbei fährt. „We have to meet." Sie begann zu weinen. Endlich fing sie sich. Ob ich denn wisse, warum sie mich angesprochen habe, fragte sie. Ich öffnete eine neue Packung Zigaretten und steckte mir eine in den Mund. Meine Finger zitterten. „You look like my brother", sagte sie und begann wieder zu weinen. Es ergebe alles keinen Sinn, geradezu schrecklich sei es, aber mein Gesicht, sagte sie, sei wie seines und auch meine Stimme – es sei fürchterlich. Ich vergaß auf die Asche meiner Zigarette und sah, wie sie auf die Hose zwischen meinen Beinen fiel. Was denn mit ihrem Bruder sei, fragte ich und fühlte mich, als würde ich fallen. Aus dem Telefonhörer ihre zitternde Stimme: „He is dead", sagte sie. Ich legte sofort auf.

Vierundzwanzig Stunden später in ihrer Wohnung. Ich konnte nicht anders. Die Wände waren weiß wie frisch gestrichen. Ich bemerkte, wie ich nach Flecken zu suchen begann. Ich fand nichts. Sie hatte mir den Mantel abgenommen und ich stand in einem übergroßen, beinahe leeren Raum. An einer Seite war eine weiße Ledercouch, dahinter Bücherregale: ausnahmslos russische Autoren. An der Wand kleine Bilder, die ich aus der Entfernung nicht klar sehen konnte. Als ich darauf zuging, spürte ich ihre Hand in meiner. „Sit down“, sagte sie. Ihr Lächeln war unsicher. Ich deutete mit der Hand auf die Bilder, während ich mich setzte. Ich könne ruhig rauchen, sagte sie. Sie hole nur den Aschenbecher vom Balkon. Sie trug dasselbe schwarze Kleid wie am Tag zuvor. Im Licht schien sie noch schöner, unberührbarer. Ich stand auf und ging auf sie zu. Sie lächelte unsicher, hielt in der einen Hand den Aschenbecher. Aus ihrem leicht geöffneten Mund blitzten kleine Zähne hinter dünnen, roten Lippen. Ich spürte, wie ich mich erregte und legte meine Hand auf ihre kalte Wange, als hätte ich noch nie zuvor eine Frau berührt. Etwas in ihren Augen schrie laut „Nein“, als ich meine Hand durch ihr Haar fahren ließ und sie küsste. Sie ließ es geschehen. Ich hörte, wie der Aschenbecher zu Boden fiel. Endlich schob sie mich weg. Ich hatte nicht bemerkt, dass sie weinte. Sie sagte „sorry“ und wandte sich ab. Es sei so schwierig. Ich sah, wie ihre Hand von mir fiel wie ein totes Blatt. Für einige Sekunden stand sie da, verdeckte ihr Gesicht, während ihre Unterlippe zitterte. Ich fragte, was denn nicht stimme. Die Worte waren lauter, als ich beabsichtigt hatte. „Lena“, sagte ich und nahm sie am Oberarm, drehte sie zu mir. Erst als ich ihr Gesicht sah, tat es mir leid. Ich müsse es wissen, sagte ich. Noch nie hatte ich so verzweifelte Augen gesehen. „Is it your brother?“, sagte ich.

Das letzte Wort hatte ich betont. Es klang abwertend, obwohl ich das nicht bezweckt hatte. Ich kam mir vor wie ein Tier, hasste mich, doch etwas in mir machte weiter, formte weiter Worte in meinem Kopf. Waren es ihre Tränen, die mich so bekräftigten? Ich fühlte mich, als hätte ich irgendein Recht. „He is dead, Lena“, sagte ich. Endlich sah sie mich an. „I know.“ Sie ging in die Küche. In zwei Tassen brachte sie Schwarztee. Es sei nur die Erinnerung, sagte sie. Ich weiß noch, wie sie mich ansah dabei: ihr Blick unerträglich demütig. Ich sei die Erinnerung, sagte sie.

Später sah ich das erste Bild an der Wand. Noch nie hatte ich etwas Schrecklicheres gesehen. Es war das Gesicht ihres Bruders. Es war wie ein Spiegel. Ich roch den heißen Schwarztee und verbrannte mir die Zunge, spürte nichts davon, sah in die zwei Augen, studierte jeden Zentimeter dieses Gesichtes, als hätte ich es noch nie gesehen. Es war ein Foto aus einer Zeitung in schwarzem Bilderrahmen. Ich erkannte kyrillische Zeichen darunter, eine dicke Überschrift. „My brother“, hörte ich Lena neben mir sagen. Sie sah mich an dabei, doch ich vermochte nicht, ihren Blick zu erwidern, starrte in diese Augen, die meine eigenen waren. Sein Gesicht war bleich, die Lider nur leicht geöffnet, der Mund mit schlaffem Kiefer. Es sah aus, als hätte man den Toten fotografiert. Endlich spürte ich Lenas Hand, die mich sanft von diesem Bild an der Wand wegzog. Ich blickte nach ihr, dann wieder zur Wand, auf das Bild daneben. Eines zeigte einen Wagen, unbeschädigt, wie es schien. „It´s okay“, sagte sie neben mir. Ich riss mich los. Ein grüner Nissan Micra, der rechte Scheinwerfer zerstört, der Rest unversehrt. Der Tote lag einige Meter davor. „It´s okay“, sagte sie wieder, aber ich hörte, wie sie weinte. Erneut versuchte sie mich wegzuziehen. „Please“, sagte sie. Endlich gab ich nach. Wir tranken Schwarztee auf der Couch. Wieder fiel mir auf, wie leer die Wohnung war. Endlich ein Satz von ihr, während sie ihre Tränen trocknete: „It was an accident.“ Er sei überfahren worden. Sie zuckte zusammen wie unter Schmerzen. „The green Nissan Micra?“, fragte ich und deutete auf das Bild mit dem Wagen. Ich weiß noch, wie sie mich lange ansah, als müsse sie überlegen. Endlich nickte sie. Es war das erste Mal, dass dieser Blick mir Angst machte.

Wir wechselten das Thema, sprachen über Finnland, die Dunkelheit und schlürften den Tee. Sie sei bereits seit drei Jahren hier, studiere an der Universität Geschichte. Sie nannte mir den Ort ihrer Geburt in Russland, den ich mir nicht merkte, sprach von ihrer Heimat, als wäre sie ein geliebtes Haustier, das gestorben war. Es sei schwierig, eine Wohnung zu finden für jemanden, der nicht von hier sei. Die Leute misstrauten ihr, ihrem Akzent, ihrem Aussehen. Sie sei nicht blond genug, meinte sie, und lachte etwas. Wieder bemerkte ich die perfekten, kleinen Zähne in ihrem Mund. „Lena“, sagte ich leise, als hätte mir jemand so befohlen. Ich wollte, dass sie mich weiter ansah. Sie verstand. Zu lange sahen wir uns an, etwas zwischen uns wie ein unüberwindbares Hindernis, das meine Hand abhielt, nach ihr zu greifen. Ich nahm eine Zigarette. Sofort stand sie auf und holte den Aschenbecher, der zuvor auf den Parkettboden gefallen war. Ich bemerkte die Beschädigung am Holz. „It´s okay“, sagte sie. Als sie sich setzte, bot ich ihr die Packung an. Wir rauchten, blickten uns an, auf der Suche nach Worten. Ich bemerkte, wie sie die Augen schloss, den Kopf ein wenig hob und ihren weißen Hals zeigte. Ich musste hinsehen, spürte, wie ich mich erregte an dieser bleichen, glatten Haut, wollte danach greifen, meine Finger auf die kalte Fläche legen. Ich dämpfte die Zigarette aus, die ich eben angefangen hatte. Sie öffnete die Augen, als hätte sie die Gedanken gehört: ihr Lächeln unsicher wie zuvor, als ich sie geküsst hatte, ihre Augen feucht. Ich dachte, dass die Trauer sie schön machte und berührte endlich diesen Hals, mit der anderen Hand ihre Haare. „Lena“, sagte ich und zog sie näher. Sie wirkte schwach, als hätte sie plötzlicher Schwindel befallen. Ich öffnete ihren Mund mit meinen Fingern, küsste sie. Wie schön sie war, dachte ich. Etwas spannte sich in ihr wie eine Feder, als ich meine Hand auf ihre Brust legte. „Now“, flüsterte sie leise wie zu sich selbst und lehnte sich weit zurück. „Now, now“ Ihre Augen waren geschlossen, meine Hand unter ihrem Kleid, zitternd vor Erregung. Ich wusste nicht, was sie meinte. Draußen Dämmerung der unsichtbaren, finnischen Sonne. Endlich war das Kleid von ihr. Sie hatte ihre Augen noch immer geschlossen, eine Hand fiel wie leblos von der Couch zu Boden. Ich spürte sie weich und kühl unter mir. Aus den geschlossenen Augen kamen Tränen, ihr Mund gespannt wie unter Schmerzen, als ich in sie eindrang. Ich legte meine Hand auf ihre Wange und begann sie zu streicheln wie um sie zu beruhigen, während ich gierig in sie stieß. Draußen wieder Finsternis. „Now, now“ hallten ihre Worte mir im Ohr. Ich verstand nicht. Geruch von Schwarztee im Raum, leises Ticken einer Uhr, sonst nur mein Atem in der schrecklichen Stille. „Lena“, sagte ich. Ihr Mund war noch immer gespannt. Ich blickte auf ihre Hand, die auf den Parkettboden gefallen war. „Lena.“ Endlich öffnete sie die Augen wie eine Schlafende. Als ihre Hand nach meinem Hals fasste, spürte ich, wie ich kam. „Now“, hörte ich ihre Stimme noch in meinen Gedanken. Ich sank auf sie und legte meine Lippen an ihre Wange. Ihr Körper schien nun eiskalt. Endlich begriff ich, was sie gesagt hatte: Es war „No“ gewesen.

Ich weiß noch, wie leer ich mich fühlte, als sie sich unter mir befreite. Sie nahm ihr Kleid vom Boden, streifte es über ohne dass ich sie dabei sehen konnte. Dann das Geräusch ihrer nackten Füße auf dem Parkett. Post coitum omne animal triste. Mein verschwitzter Körper wie ein riesiges Stück Fleisch auf der Couch. Ich griff nach ihrer Unterwäsche, die sie liegen hatte lassen, nur um etwas von ihr halten zu können. Aus dem Badezimmer kam Wasserrauschen. Sie reinigte sich. Ich stand auf, nackt, der Parkettboden eiskalt, folgte ihr. Die Tür war verschlossen. „Lena“, sagte ich leise. Sie konnte mich nicht hören. Am Gang neben der Badezimmertür stand ein

Eimer mit weißer Farbe. Für eine Sekunde dachte ich, ich müsste an die Tür klopfen, dann ließ ich die Hand sinken und ging zurück ins Wohnzimmer. Ich zitterte. Draußen wieder völlige Finsternis. Von der Wand starrten mich die Augen des Toten an. Wie unter Zwang ging ich hin, bis ich glaubte, jedes Detail in diesem Gesicht lesen zu können. Toter Bruder, dachte ich und sah nichts als mich selbst in diesem Bild. Diese Augen hatten gesehen, wie ich mit seiner Schwester geschlafen hatte, dachte ich. Noch immer Wasserrauschen aus dem Badezimmer. Eine finnische Zeitung lag aufgeschlagen am Boden – Markierungen mit Leuchtstift: „Nissan Micra“, las ich: „etsin“ – „gesucht“. Die Telefonnummer des Interessenten unterstrichen. Als die Tür vom Badezimmer aufging, ließ ich das Blatt fallen, als hätte ich ihr Tagebuch in der Hand gehabt und ging zurück zur Couch. Ob ich denn nicht friere, fragte sie. Sie trug wieder ihr Kleid. Ihre Arme waren noch feucht und heiß, als ich sie anfasste. Mein Griff wie ein Schraubstock. Wie lange sie schon hier wohne, fragte ich und deutete auf den Eimer mit weißer Farbe. Ihre Lächeln war nervös. „You´re cold.“ Ich wusste nicht, ob sie meinen Körper oder mich selbst meinte. Endlich setzte sie sich. Ich spürte eine Gänsehaut auf meinem Rücken. Seit kurzem erst, sagte sie. Ich hatte keine Vorstellung davon, was es bedeutete, ließ ihren Arm nicht los, als würde ich dadurch verstehen können. Ihr Gesicht unendlich traurig, als sie mich ansah und ihre Hand auf meinen eiskalten Körper legte. „Take a shower“, sagte sie und schließlich mit einer Stimme, die nichts als Schmerz ausdrückte: „It´s okay."

In der Duschkabine fand ich einen offenen Behälter mit Duschgel: „for men". Ich spürte, wie mich das heiße Wasser beruhigte. Danach nahm ich das einzige Handtuch, das ich fand: Es roch nach dem Schweiß eines Mannes. Als ich den Spiegelschrank öffnete, war er beinahe leer: eine Dose Rasierschaum, daneben einige dunkle Barthaare und ein Einwegrasierer. Ich dachte an den Vormieter, an einen Freund, eine Affäre, die mich nichts anging. Erst als ich in den Spiegel blickte, als ich meine eigenen Augen sah, mein Gesicht, die Augenbrauen wie fremd und doch vertraut, verstand ich: ihr Bruder. Als würde er vor mir stehen, blickte ich mich selbst an. Toter Bruder, dachte ich. Meine Hand strich über meine Wange, befühlte die raue Oberfläche. „Mit deiner Schwester ...", hörte ich mich sagen, als würde ich zu ihm, dem Toten auf dem Bild sprechen. Dann nahm ich den Rasierschaum aus dem Schrank und verteilte ihn auf meinem Gesicht. Noch nie zuvor hatte ich das Gefühl gehabt, so außer mir selbst zu sein. Immer wieder dachte ich: Sie hat Recht, sie hat Recht. Ich sah so aus wie er. Für sie war ich ihr Bruder. Ich schnitt mich am Kinn und begann zu bluten. Ihr Bruder hatte mit ihr geschlafen.

Sie saß auf der Couch, als ich aus dem Badezimmer kam. Am Tisch standen zwei Gläser mit Leitungswasser. Sie rauchte. Wir müssen reden, meinte sie. Ich war mir sicher, dass sie mein glattes Gesicht bemerkt hatte. Ich nickte, blieb stehen, als wäre ihr Körper Ekel. „Deine Schwester gefickt“, hörte ich plötzlich jemanden sagen. Für eine Sekunde dachte ich, es wäre tatsächlich geschehen. Ich wusste, dass Lena mich ansah. „Sit down“, sagte sie. Ich blieb stehen. „Your brother“, sagte ich und sah sie nicht an, als ich die Packung Zigaretten vom Tisch nahm. Nie mehr wollte ich diese Frau ansehen. Das hier sei seine Wohnung gewesen, stellte ich fest. Sie nickte, inhalierte. Ihre Lippen waren wieder rot wie zu dem Zeitpunkt, als ich sie kennen gelernt hatte. Es sei schwer gewesen, eine Wohnung zu finden, sagte sie, als würde ich sie verhören. Sie hätte schon lange vor seinem Tod umziehen wollen. Ihre Stimme war schrill wie noch nie. Ich fühlte, wie ihre Augen mich suchten. Es sei wahr. Ich müsse glauben. Es sei ein Unfall gewesen. Endlich entkam ich ihrem Blick. Es sei schrecklich, alles sei schrecklich. Sie begann wieder zu weinen. Auf der weißen Ledercouch neben ihr Geschlechtsflüssigkeit, die auf ihr schwarzes Kleid zulief. Ich fragte nach dem Zeitpunkt: Wann es geschehen sei. Sie gab keine Antwort, rauchte unter Tränen. Und nun ich, sprach sie weiter ohne auf meine Frage zu antworten. Nun sei ich da. Sie sah mich an. Die Grenze zwischen Trauer und Verzweiflung war überschritten. „I look at you ...“ (ihre Stimme hässlich schrill) „,..., but it´s my brother I see.“ Schmutz sei nun auf ihr (sie rieb sich die Arme), der nicht abginge. Sie könne nicht (sie begann zu zittern) ihren eigenen Bruder begehren. Die Worte kamen wie Erbrochenes aus ihr. Ich merkte, wie sie sich angeekelt abwandte, ihr Gesicht verbarg. Etwas in mir sagte, dass es so einfach wäre, zu gehen. Was war es, das mich hielt? „Lena", sagte ich und fühlte mich, als hätte sie mir ein Messer von unten zwischen die Beine gerammt. „I love you."

Ich wusste nicht, warum ich es gesagt hatte und vielleicht war das der einzige Grund, warum es mir ehrlich erschien. Nicht nur sie erschrak darüber: Ich überlegte, wie es möglich wäre, zu beschwichtigen, zu überspielen, diesen tiefen, schweren Sinn in diesem Satz zu vernichten, aber ich fand kein Mittel. Lena nahm ihr Gesicht aus den Händen. Für Sekunden sah sie mich an, als hätte ich die größte Dummheit begangen, die nur möglich gewesen wäre. Dann dämpfte sie ihre Zigarette (ich tat ihr gleich) und ein schmales Lächeln entstand auf ihrem gequälten Gesicht. „It´s okay", sagte sie, dann, noch einmal, als sie meine Hand nahm und auf ihre kalte Wange legte: „It´s okay." Ich wollte ansetzen, um etwas zu sagen. Etwas schien mich plötzlich dazu zu treiben, meine Aussage noch zu verstärken (als wäre das möglich gewesen), diese grässliche Schuld, die an mir klebte, von mir zu nehmen, aber sie unterbrach mich. „But you should go now", sagte sie. Eine Sekunde lang sah sie mich an, dann ging sie erneut ins Badezimmer und schloss die Tür hinter sich. Als ich wieder Wasserrauschen hörte, nahm ich meinen Mantel.

Als ich an diesem Abend durch die finsteren Straßen Oulus heimging, wusste ich noch nicht, dass ich Lena nie wieder sehen würde. Dichter Schneefall hatte eingesetzt, dazu eisiger Wind. Ich glaubte, die Haut auf meinem Gesicht würde reißen, wenn ich den Mund öffnete. 21:35 auf meiner Uhr – ich hatte nicht bemerkt, wie schnell die Zeit vergangen war. An der Bushaltestelle keine Menschenseele. Die Straßen wie ausgestorben. Nach fünfzehn Minuten Warten beschloss ich zu gehen.

Lenas Wohnung lag in einer Siedlung außerhalb der Stadt. Es schien, als wäre ich mitten im Wald, als ich den Weg Richtung Stadt einschlug. Dreißig Minuten Gehzeit, dachte ich. Bald schon das einzige Geräusch meine Schritte im Schnee und um mich nichts als das eisige Schweigen der gefrorenen Bäume. Wenn ich hier fiel, dachte ich, wäre ich tot, bevor mich jemand fände. Es kümmerte mich nicht. Ich begann, meine Schritte zu zählen, um mich von der Kälte abzulenken, doch ich konnte mich nicht konzentrieren. Immer wieder sah ich Lenas Gesicht vor mir. Ich durfte sie nicht verlieren. Die Finsternis war erdrückend.

Zehn Minuten später war die Straße völlig weiß und jede Markierung unkenntlich gemacht. Meine Glieder schmerzten durch die Kälte und ich spürte, wie ich schwächer wurde. Ich erschrak, als ein Auto mit überhöhter Geschwindigkeit wie aus dem Nichts an mir vorbei schoss. Das rechte Licht war kaputt. Es war ein Nissan, ein grüner Nissan Micra. Bald darauf wieder totes Schweigen um mich herum. Ich spürte, wie ich nervös wurde. Ich dachte an die Leiche, die vor dem Wagen lag auf dem Foto, an das tote Gesicht. „Lena“, sagte ich laut.

Es klang wie Schmerz. Die Anzeige in der Zeitung kam mir ins Gedächtnis. Alles ergab plötzlich Sinn. Es war ihr Wagen. Im gleichen Augenblick läutete mein Mobiltelefon. Es war sie. Für Sekunden ließ ich es läuten und starrte auf ihren eingeblendeten Namen. Dann hob ich ab. „Where are you?“, fragte sie. Ich würde erfrieren, sagte sie, minus 41. Sie klang besorgt. Die Busse würden nicht mehr fahren. Sie habe nicht auf die Uhr gesehen. Ich glaubte, meine Finger müssten vor Kälte abbrechen, während ich das Telefon hielt. „Lena“, sagte ich, „you killed your brother.“ Ich hörte, wie sie weinte. „It was an accident.“ Sekundenlang schwiegen wir, dann erneut ihre Stimme: „Where are you? I can take you home.“ Ich nickte, ohne zu antworten. Wieder vergingen Sekunden, in denen wir beide schwiegen. Die Kälte war unerträglich. Plötzlich war ich mir nicht mehr sicher, ob ich den Weg alleine schaffen konnte. Endlich antwortete ich: Sie müsse umkehren, sagte ich. Sei an mir vorbeigefahren. Die Schwäche meiner Stimme erschreckte mich selbst. „Okay“, sagte sie (es klang verzweifelt). „I´ll hurry.“ Ich solle durchhalten, immer weiter gehen, auf keinen Fall stehen bleiben. Ich wollte lachen über ihre Besorgtheit, aber es gelang mir nicht. Dann legte sie auf.

Die nächsten Minuten schienen mir wie Stunden. Ich hatte aufgehört zu zittern. Meine Arme und Beine waren steif wie Äste, meine Finger schon längst ohne Gefühl. Trotzdem ging ich weiter, blickte dabei stumpf vor mich in die Finsternis und dachte nur an sie. Endlich sah ich den Scheinwerfer. Lena fuhr wie verrückt. Seit meiner Ankunft hier hatte ich die Finnen bewundert, die ihre Autos auf diesen spiegelglatten Straßen halten konnten. Der grüne Nissan schlitterte um die Kurve. Das Heck brach aus, doch irgendwie blieb er auf der Straße, fing sich wieder und raste auf dem schneebedeckten Asphalt auf mich zu. Der rechte Scheinwerfer, dachte ich. Sie sieht mich nicht. Und plötzlich, wie die Klinge eines Messers im Nacken die Gewissheit: Das, was hier geschah, war bereits einmal geschehen. Ich dachte an das Foto, an die Leiche im Schnee und den grünen Nissan. „An accident.", hörte ich ihre Stimme. Es war zu spät. Mein Körper starr wie zu Eis gefroren. Sie sah mich nicht, dachte ich, doch sie hatte mich nie gesehen, sondern immer nur ihren Bruder.

Derselbe alte Bekannte

für Sie

Ich träume das Unvorstellbare, den Morgen. Hinter all diesen namenlosen, dunklen Dächern warte ich auf den Strahl, der klirrend aus diesem Himmel fährt. Sei es, dass er mir das Fleisch vom Körper schabt. Verbrenn mich – nichts will ich mehr als das.

Liebste,

T. war wieder hier. Nicht, dass ich ihn eingeladen hätte. Er war mir fremd geworden mit der Zeit. Trotzdem: Er blieb. Wir sprachen. Er hatte diese schwere Tasche mit, die er mir auf den Fußboden stellte. Keine Ahnung, was drinnen ist. Aber er benahm sich gut. Ruhig vor allem. Keine Spur mehr von Hektik, von Aufdringlichkeit. Ich hatte ihn anders in Erinnerung - auch seine Stimme: Er spricht klar und deutlich. Was mich beschäftigt: weshalb entschuldigte er sich, dass er zu spät war, wenn er doch unaufgefordert vorbeikam?

Es muss, sage ich, aber ich spreche das „s" viel zu lange aus. Draußen noch kein Strahl. Wie lange kann es noch dauern? Ich klebe am Fenster und spüre das Glas auf der Hand und bete, aber ich weiß nicht genau, wonach, denn ein einziger Sonnenstrahl – was ist das schon?

Liebste,

T. ist gegangen. Ich komme nicht umhin zu glauben, dass er enttäuscht war. Es war, als wollte er, dass ich ihm einen Wunsch von seinen trockenen Lippen ablese. Kurz dachte ich auch, ich wüsste, was er wollte.

Er hat seine Tasche vergessen. Ich war neugierig, aber ich traute mich nicht, das abgewetzte Lederding zu öffnen. Es roch nach Krankheit – ein Geruch, der mich schwindlig machte. Ich stellte es ins Vorzimmer, dort wo ich die Wände mit weißer Farbe angestrichen habe, aber ich kann es noch immer riechen.

T. hat sich nicht verändert in all den Jahren. Trotzdem: Ich hatte gedacht und gehofft, er würde nie wieder kommen. Er ist ein treuerer Freund als man sich wünschen kann. Jedes Mal, wenn ich seine Knochenfinger zum Abschied in die Hand nehme, denke ich, es wäre für immer.

Die kahlen Wände fragen. Ich sehe so aus, meinen sie, als würde ich auf etwas warten, aber worauf? Ich schreie: Ich weiß nicht. Dann wieder mein Blick zum Fenster, durchs Glas, hinaus aus der Zelle. Himmel schwarz. Zu früh. Geduld, Geduld, denke ich.

Liebste,

die Tasche steht im Vorzimmer. Ich kann nicht sagen, woran es liegt, aber die Neugierde wird immer stärker. Es ist ein regelrechter Drang, der mich hin zwingt. Ein paar Mal bin ich schon dort gewesen, habe mich daneben hingestellt, nur um den modrigen Ledergeruch in mich einzusaugen. Viel zu lange wahrscheinlich. Jetzt ist mir schwindlig und meine Vorhaben für diesen Tag sind wie vergessen. Vielleicht auch die darüber hinaus. Es ist der Geruch; er macht mich verrückt. Wenn ich zurück gehe ins Wohnzimmer vergehen keine zehn Minuten mehr, bis meine Gedanken wieder zu dieser Tasche zurückwandern. Ständig muss ich dabei an T. denken. Seine Augen sind merkwürdig, weißt du. Ich kann mich nicht mehr daran erinnern, welche Augenfarbe er hat. Immer wenn ich sein Gesicht vor mir sehe, bleiben die Pupillen leer. Ist es möglich, dass Menschen weiße Augen haben? Ich sehe ihn vor mir, jetzt genau in dieser Sekunde. Es ist ein dürrer Kerl mit Händen ohne Fleisch. Wenn er die Hand hebt um seinen Hut wie zum Gruß zu berühren, schlottert sein Hemd am nackten Knochen. Ich kann wirklich nicht sagen, dass er sich verändert hat. Vielleicht aber habe ich einfach nie so genau hingesehen. Beim Sprechen bewegt er kaum seinen Mund, als würde er gar nicht richtig sprechen – als würde die Stimme von ganz woanders kommen. Es ist verrückt. Nirgendwo sonst habe ich so etwas gesehen. Kannst du dir vorstellen? Er lässt seinen Mund offen und die Worte züngeln aus seiner Kehle. Dabei spricht er so angenehm ruhig. Für sein Alter sogar ausgesprochen klar und deutlich.

Ich suche, ich suche. Von der Wand zerhackt mir die Uhr den Schädel. Presse meine Hände an die Fensterscheiben, drücke meine Stirn daran. Darauf der Hauch aus meinem irren Maul. Schmecke das Glas mit der Zunge, starre auf die Dächer, starre auf den Speichelrest am Fenster. Draußen nichts.

Liebste,

T. war wieder hier - wegen der Tasche. Noch immer weiß ich nicht, was darin war. Wieso habe ich nicht hineingesehen? Sein Sprechen ist wirklich eigenartig. Nun konnte ich es deutlich sehen: Er klappt sein Kiefer auf. Ich glaube, dass ich sah, wie sich die Worte tief aus seinem Hals herausstreckten, wie sie sich an meine Beine schmiegten, mich bekrochen, mich beschlichen. Er nahm die Tasche und ich konnte nicht anders als ihn umarmen. Seine Schultern waren hart und knöchrig. Er legte seine kühle Hand um mich und drehte sein Gesicht zu mir. Seine Augen sind weiß. Nun habe ich es gesehen. Sein Blick langte wie eine eiskalte Hand in meinen Körper. Ich sah sein zahnloses Kiefer, als er den Mund auftat. Vielleicht wollte er mich küssen. Sein Mund blieb lange offen. Zuerst dachte ich, er warte, aber dann wusste ich, dass ich es war, der wartete. Seine Hand die ganze Zeit noch auf mir, in mir. Ich hätte sie jederzeit lösen können, aber genau das wollte ich nicht. Bis er zu lachen begann. Er lachte kalten Hauch aus zahnlosem Mund, bis ich mitlachte. Ich wusste nicht, warum. Ich hörte dieses Lachen wie ein warmes, dumpfes Klopfen eines Mutterherzens.

Auge trocken. Etwas auf mich gestürzt. Warm, flüssig, wie kleines Leben.

Liebste,

den ganzen Tag gewartet. Ein Haar gefunden von dir. Sag mir nur, ob es von deinem kleinen Kopf gefallen ist. Etwas frisst in mir. Hörte T.s Stimme am Telefon. Klang wie ich. Kommst du noch, Liebste? T. will weg. Ich liebe dich. Er will mich mitnehmen. Sehe das Haar an. Er spricht von Ruhe. Möchte es riechen. Wenn er noch einmal anruft – ich werde gehen.

Der brave Vernunftskopf

Ich gehe an ihr vorbei und grüße, drücke die Hand dabei an meine Hutkrempe. Das muss ich tun. „Guten Tag.“, sage ich. Ihr Gesicht ist dunkel wie immer, ihre Augen tief im mageren Gesicht und gerötet. Der Blick hat etwas von einem Pferd. Sie zeigt ihre Zähne beim Lächeln, strafft dabei ihre Lippen und stößt langsam und viel zu lange Luft durch die Nase, bis sie ihre Lungen wieder geräuschvoll füllen kann. Es ist ein Lächeln wie es ein nackter Totenschädel haben könnte. Ich bin an ihr vorbei, höre meine Schritte schnell wie immer. Ich hasse es, wenn jemand langsam vor mir geht. Es ist nicht die Langsamkeit, die mich verstimmt, sondern die Ziellosigkeit, mit der diese Menschen durch die Straßen kriechen wie eine zähe Masse, wie ein Lavastrom, der sich weiter und weiter wälzt und alles mit sich reißt. Die Tür des Fahrstuhls geht auf. E. steht drinnen wie erwartet. Ich grüße in sein unrasiertes Gesicht, muss ihm sogar die Hand schütteln, denn er streckt sie hin. Er sieht mich an aus trüben, dummen Augen. „Es regnet.“, sagt er und sein Kinn wackelt dabei. „Schon so lange nichts als Regen.“, sagt er. Er lächelt dabei und sieht mich so an, als erwarte er, dass ich zurücklächle. Ich greife mir wieder an die Hutkrempe, doch es reicht ihm nicht. Er ist unerträglich. Ich sehe in seine blauen Augen, die ihm wie versehentlich unter der Stirn kleben und so gar nicht zu seinem sonst so unauffälligen Alltagsgesicht passen. Als ich aussteige, wünscht er mir einen schönen Tag und ich nicke. Es regnet tatsächlich. Wie kleine Steine hören sich die Tropfen auf meinen Hut an. Ich verziehe das Gesicht etwas. Außerhalb des Schirmes steht ein Wagen. Ein blauer Wagen. Ich öffne die Autotür und muss mir eingestehen, dass ich diese Farbe hasse. Es ist ein Gefühl, als hätte mir ein rotzignasiger Adoleszent ins Gesicht gespuckt. Dafür kann sie nichts. Sie ist am falschen Ort. Hätte sie sich nicht auf der Karosserie dieses Wagens befunden, sondern am Himmel oder einem Schweizer Alpensee, wäre es vermutlich ganz anders gekommen. Aber hier auf diesem Wagen gibt es keine Entschuldigung: Ich hasse sein Blau. Blau ist keine Farbe für mich. Es ist erbärmlich, dieses Blau, ein Kinderblau, ein Blau, als würde man mir die Genitalien einschrumpfen und mich in eine Sandkiste setzen. Ich öffne die Tür und muss einsteigen, höre draußen ein wenig den Wind wie er brüllt und trotzig meine Aufmerksamkeit verlangt. Im Seitenfach fehlt das Fahrtenbuch. Ich suche und finde es nicht, lecke mir mit der Zunge über die Vorderzähne. Ich erinnere mich dann, es auch in der Früh nicht gefunden zu haben, suche weiter, als würde ich noch ans Auffinden glauben. Das Auto gehört nicht mir, natürlich nicht. Der Tageskilometerzähler steht auf 850. Schlamperei das. Es gehört mir nicht, natürlich nicht. Ich krame weiter, in der anderen Seitentasche, obwohl ich mich bereits angeschnallt habe. Der Gurt reißt ein wenig an meiner Schulter. Es war bereits in der Früh nicht da. Tageskilometerzähler auf 850. Unmöglich, denke ich. Ich suche weiter, am Rücksitz, der Gurt lässt mich nicht richtig und ich komme plötzlich mit dem Ellenbogen an der Hupe an. Ich hupe unbeabsichtigt. Ich sitze am Fahrersitz, suche nicht mehr. Ich wollte es nicht. Es war ein Versehen. Draußen pfeift der Regen. Es ist niemand hier. Niemand sieht mich an. Nach einigen Sekunden kann ich starten. Das Auto gehört B.. Sie ist mit mir verheiratet. Es ist Samstag und die Wischerblätter schmieren. Es gehört mir nicht.

Niemand auf den Straßen. Der Regen jetzt noch stärker, drinnen noch kälter, dass ich überlege, die Heizung aufzudrehen. Aber es ist Sommer und ich lasse es, blinke statt dessen an einem Stoppschild wartend links in die feuchte Gischt auf eine leere Bundesstraße. Die Straße windet sich wie ein Wurm einmal links, dann rechts und in jeder Kurve liegt Wasser, darüber der Wald, der seine schwarzen, dürren Äste aus dem Nebel heraus nach mir ausstreckt. Die Sicht ist schlecht, die Wassermassen, die vom Himmel stürzen sind so dicht, dass die Scheinwerfer sich darin reflektieren und die Wischerblätter verschmieren alles auf der Frontscheibe als würden sie es Kunst nennen wollen. Ich wollte, ich könnte fluchen, um mir die Angst zu nehmen, doch stattdessen muss ich hecheln wie ein Hund, um Luft zu bekommen. Als der Motor in einer größeren Lacke hochdreht und die Lenkung mir den Dienst versagt, glaube ich, die Äste für knöcherne Arme mit weißen Fingern zu sehen, die von links und rechts und über mir nach mir fassen. Vor mir die schwarze Baummasse, auf die ich zuschieße, Augen, überall Augen aus der

Finsternis und plötzlich eisige Luft im Nacken. Wie wild hämmert mein Herz und ich klammere mich ans Lenkrad. Ich glaube plötzlich neben mir zu sein und mich selbst am Lenkrad zu sehen, wie ich mich mit wirrem Blick festklammere. Ich sehe, dass sich meine Lippen straff über meine Zähne spannen als würde ich sie zerreißen wollen. Aus meinen Nasenlöchern presse ich Luft im Takt des Irrsinns und schnappe gleichzeitig nach selbiger. Alles erscheint verzögert und viel zu langsam. Ich sehe mich an, als ob mich all das nichts angehe, erblicke mich wie einen Fremden und fühle mich erleichtert. Stunden oder Sekunden, einen Hauch von Haltung später, fasse ich mich wieder. Die Äste sind Äste, nichts anderes. Es ist verrückt, an ihnen Finger sehen zu wollen. Nichts, es ist nichts. Es ist Samstag. Die Äste sind Äste, die Wischerblätter verschmieren die Scheibe vor mir mit nassen Insektenteilen. Ich bin dahinter, die Knöchel meiner Finger am Lenkrad wie festgefroren und gleichzeitig glitschig vor Schweiß. Vorbei, denke ich. Es ist vorbei, und atme dabei schwer.

Die nächste Kurve hinter mir heißt dem Wald ein Ende. Die dichten schwarzen Baummassen weichen offenem Feld unter grauem wolkenschwerem Himmel. Durch die verschlossenen Fenster dringt der Geruch feuchten Grases in die Kabine. So lange lächle ich darüber, diese dunklen, engen Kurven des Waldes verlassen zu haben, dass ein Schild ungelesen an mir vorbeizieht. Hinter mir, im Rückspiegel, kann ich es sehen, doch wie ein Attentäter zeigt es mir das Gesicht nicht. Es lässt mich dumm in diesem Auto. Ich lecke mir die Zähne. Ich hasse es, wenn ich nicht weiß, was ist. Klarheit, das ist alles, was ich verlange. Ich verlange, dass ich es weiß.

Vor mir baut sich die Stadt auf, das Dorf, das lächerliche, das mein Haus birgt. Ich komme von einem Hügel aus dem Wald und wenn die Bäume verschwinden, ist es immer zuerst dieser Turm in der Ferne, dem sich diese kleinen Häuschen unterwerfen, als würde er ihnen ansonsten aufs Dach spucken. Zäune, weiße Zäune sind um jedes dieser Häuschen angelegt. Zehn Minuten sehe ich es noch von außen. Mit Garten und Tulpen, mit großen Hecken und kleinen Zwergen. Mit Kindern und Gemüse, mit Rasen und Sprengern. Von innen sehe ich es nicht. Zehn Minuten von der Arbeit nach Hause, maximal fünfzehn, selten mehr. Man kann froh sein. Ich halte, betrete den Garten, rieche feuchtes Gras. Es regnet weiter und wird weiter alles sprießen lassen hier. Weiße Zäune und Tulpen, Hecken, noch mehr Häuschen, die demütig zum hohen Turm aufschauen wollen. Immer Regen und weiter, weiter. Das Licht geht von selbst an. Fünf Stiegen, Fußmatte, meine Frau in der Küche. Zander kocht sie, es ist Samstag, dazu Kartoffeln in Butter gebraten. Kein Reis, sicher nicht. Ich könnte ihn sonst riechen. Ich sperre die Tür auf. Ein Vorzimmer erwartet mich. Dazu ein Spiegel, in dem zwei Augen in weißem Fleisch stecken. Die Schuhe ziehe ich aus. B. begrüßt mich mit einem Topf in der Hand, als ich die Küche betrete. Sie steht am Herd mit Augen, aus denen der

Wasserdampf rinnt. Es riecht nach Kartoffeln. Aber es ist Reis. Ich sehe es. Sie öffnet den Deckel vom Topf, den sie liebevoll an ihrem Bauch hält und ich sehe: es ist Reis. Sie hat Wasserdampf in den Augen und wischt sich alles in ihre weiße Schürze. Sie sagt, ich solle mich setzen. Ich denke nicht daran, denn ich starre in den Topf mit Reis, will und will so gerne aber sehe nichts anderes. „Leck nicht schon wieder deine Vorderzähne", sagt sie und weint Wasserdampf. „Ich bin so alleine", sagt sie. „So alleine" und streichelt den Topf mit Reis. Muss ich es beachten? Was steht sie hier? Was sitze ich nicht? Sie reicht mir den Teller, als ich sitze. „Keine Kartoffeln", sage ich, als sie Reis nimmt und ihn mir auf den Teller patzt. „Ein Häufchen, ein kleiner Haufen Fleisch dazu", und sie wischt sich die Augen. Sie gibt mir Fleisch in brauner Soße, fährt mit einer Gabel dazwischen, vermischt alles miteinander. „Zander", sage ich. Sie nickt. „Es ist Samstag", sagt sie. Aber es ist kein Zander, ich weiß es. Sie nickt, lächelt und schlägt mit ihren nassen Augen. Warum nickt sie dazu? Auf ihren Lippen ist ein seltsamer Zug, den ich nicht kenne. Spöttisch wie ich meine, aber ich kann es nicht genau sagen. Ich glaube nicht, dass ich das Weiße und das Braune esse. Lieber die Hand, lieber die eigene Hand als dieses Weiße und Braune! „Iss es!", sagt sie aber zu mir. Und lächelt wie eine Hyäne. Wagt sie! Ich schiebe den Teller fort, habe genug, denn mir ist übel. Sie nimmt ihn, entsorgt das noch dampfende weiß-braune Zeug wie Erbrochenes. „Ich bin so allein", sagt sie als sie die Fleischreste entsorgt. Dann nimmt sie sich selbst vom Topf, wie zuvor mischt sie alles mit einer Gabel zusammen, weiß und braun: Fleisch, das aussieht wie Erde und Reis, der aussieht wie kleine Lebewesen. Sie isst, lächelt ein wenig dumm und ich störe nicht dabei. Ich betrachte sie, sehe ihr auf den Mund, wenn sie ewig langsam kaut und die Gabel tief in ihren Mund schiebt. Sie kaut so langsam als wäre sie eingeschlafen und bewegte ihre Kiefer im Traum. Sie ist nicht richtig wach, denke ich. Als sie bemerkt wie ich schaue, schiebt sie alles weg: Glas, Teller, Gabel, Messer, blickt stumpf wie ein Pferd vor sich hin und ich wollte ich dürfte lachen darüber. Als sie endlich genug gekaut hat, steht sie auf und ich fühle mich wie ein strenger Richter, als sie den Rest ihres Mahles genauso wie zuvor entsorgen muss. Was sieht sie so verstört? Es ist nur gerecht, denke ich und lehne mich zurück. Sie bringt mir die Zeitung, ich schlage auf, tue als ob ich lese, damit sie es nur glaubt, blättere dann. Ich will nichts wissen. Es ist mir zuwider, Neues wissen zu wollen, wo doch das Alte schon zuviel ist. Ich bin doch kein Wahnsinniger, kein Verrückter. Ist es nicht schon genug? Es ist zuviel, wer kann da noch mit? Heute gab es keinen Zander. Ich sehe aus den Augenwinkeln auf B.: Ihre Wangen sind eingefallen und ihr Gesicht, als hätte ihr jemand ins Gesicht geschlagen. Ein Mord wäre gut, vielleicht ein Messer, eine Axt. Das Messer in den Hals rammen fünfzehn Mal. Es gab keinen Zander, nur dieses Fleisch. 15 Messerstiche. Ich lege die Zeitung weg. Es sind zu viele Buchstaben, die mich nichts angehen. B. singt etwas. Sie ist im Nebenzimmer, singt und haucht leise, hohe

Töne. Ich stehe auf und gehe zu ihr, öffne die Tür und wir sehen uns an. Sie zittert, deswegen singt sie so. Ihr Unterkiefer zittert. Ich weiß nicht, woher der Wasserdampf kommt. Sie verstummt, sieht mich an, aber zittert noch und das Fleisch, das ihr am Unterkiefer hängt, wackelt dabei. „Es muss doch etwas ... irgendetwas ...", sagt sie. Auch ihre Hände zittern. Wieso tut sie es mir an? Ihr Blick sinkt zu Boden wie der eines Schulmädchens. Dann sieht sie aus dem Fenster. Briefträger, Passanten, Hund. Ich weiß nicht wohin sie sieht und was sie sehen will. Ich sehe nicht nach, sie sieht es doch selbst nicht. Ihre Hände zittern. Ich sehe es noch immer. „Hör auf damit!", sage ich. Sie hört nicht auf. Ich packe ihre Hände, drücke sie liebevoll bis sie schreit. Sie reißt sich los, läuft aus dem Zimmer ohne etwas zu sagen. Ihre Schritte sind schnell, ich höre wie sie ins Schlafzimmer läuft. Die Tür fällt zu, dann Stille. Durchs Fenster kann ich keinen Briefträger sehen. Keinen Passanten, Hund auch nicht. Niemand. Ich weiß nicht, was sie angesehen hat. Ich sehe nichts. Sie ist verrückt, verrückt, verrückt. In der Küche liegt noch die Zeitung, die ich nehme und aufschlage. Sehe die Bilder an, lese nicht, blättere durch, dann zum Kühlschrank, finde Fleisch und schneide es. Es fühlt sich weich an, dass ich das Messer weglege und meine Hand darauf lege, um es weich und saftig zu spüren. Es ist mein Essen, ich glaube es ist Hühnerfleisch, aber ich weiß es nicht genau. Ich kenne mich nicht aus mit Fleisch. Ich schneide es nur. Nichts anderes. In der Pfanne erhitzt Fett. Ich muss es riechen können. Riechen ob es heiß ist. B. wird 33. Ich denke an ihr Kinn, wie es wackelt, wenn sie zittert. Sie ist im Schlafzimmer. Das Fett riecht heiß in der Pfanne. Ich werfe das Fleisch hinein, das weiche und kann endlich gehen. Es ist Samstag. Ich glaube sie ist im Schlafzimmer. Sie hat geweint, denn es gibt hier keinen Wasserdampf. Ich klopfe an die Tür. Von der Küche höre ich, wie das Fleisch brät. Niemand sagt etwas. Ich nehme an, dass sie tot ist. Neben ihrem Bett sind Schlaftabletten, dazu ein Abschiedsbrief. „Lieber Mann", schreibt sie. Und weiter. Ich lese ihn nicht. Es gibt ihn nicht. Die Tür ist noch zu. Das Fleisch brät. Ich klopfe. Niemand antwortet. Ich öffne und glaube, dass sie tot ist. Sie liegt im Bett, öffnet die Augen. Sie ist nicht tot. Ich habe mich geirrt. „Leck nicht deine Vorderzähne", sagt sie. Ich schließe die Tür, gehe zum Fleisch, drehe es um, betrachte die Poren, bis es schwarz ist. Ich habe keinen Hunger, glaube ich. Es ist Samstag. Am Tisch liegt etwas Neues: Es ist ein Brief, an B. adressiert. Noch ungeöffnet, ich kann ihn nicht lesen, aber ich glaube, dass es ein Mann ist, der ihr schreibt. Ohne Absender. Ich reiße ihn auf, einfach so. Es ist ihr Geliebter. Er wohnt nebenan. Ich muss es wissen. Ich lese, aber es ist nichts. Es gibt nichts. Nicht einmal jetzt, nicht einmal jetzt. Es ist ein Brief, ein gewöhnlicher Nichts-Brief. Ich werfe ihn weg. Es gibt keinen Liebhaber, der sie verführt und in unserem Schlafzimmer beschläft. Es gibt ihn nicht, ich muss ihn nicht erschlagen. Es gibt ihn nicht. Sie weint im Schlafzimmer. Nichts, nichts. Das Fleisch ist mir unerträglich. Es ist schwarz und stinkt mich an.

Sie weint ganz leise, dass ich es kaum höre. Ich bin doch nicht verrückt. Glaubt sie, dass sie mich täuschen kann? Die Zeitung mit den tausend Buchstaben liegt noch immer hier. Ich nehme sie und werfe sie in die Pfanne zu dem schwarzen Fleisch. Sind Menschen auf der Straße? Es scheint mir, als ob ich Kinderstimmen höre, die lachen. Wohl glücklich, sie sind wohl glücklich, denke ich, denn sie lachen wie junge Hunde. Ihre Stimmen dringen durch das Küchenfenster hinein ins Zimmer. Ich schaue hinaus, schiebe den Vorhang weg. Der Regen hat aufgehört. In den Lacken spielen sie und klatschen ihre kleinen Füße hinein, beschmieren sich ihre Kleidung mit dreckigem Wasser. Sie verstehen doch nichts, diese Kinder, denke ich und sehe auf die Zeitung, die im heißen Fett liegt und deren Buchstaben völlig verschwommen sind. Ich muss lächeln, weil sie so dumm sind, die Kinder. Ich nehme die Pfanne vom Herd und werfe alles zu dem Fleisch, das B. gekocht hat, in den Abfalleimer, während ich noch immer nach draußen sehe. Verstehen ja nichts mit ihren kleinen Köpfen, mit ihren Füßen, mit ihren Händen und blassen Gesichtern. Nichts. Nichts können sie verstehen. Es ist heiß hier. Aus meinen Augen rinnt der Schweiß. Es kann kein Dampf sein, ich weiß es doch. Schweiß aus meinen Augen. Kleine Tropfen Schweiß. B. singt wieder. Sie ist im Schlafzimmer. Sie ist nicht tot, sie schläft nicht, sondern sieht mich verrückt an, als ich den Raum betrete. Ihr Haar klebt auf ihrem schweißigen Gesicht, das Fenster offen und der Vorhang im Zug sich bewegend. Ich sage: „Der Grund, Frau, der Grund“, aber sie kümmert sich nicht darum. Es interessiert sie nicht, was ich sage. Sie weint nur als ob sie nichts anderes könnte. „Na, was ist der Grund? Was ist er?“, sage ich, dabei finde ich doch den Vorhang durch den die Kinderstimmen kommen viel schöner. Wie eine Verrückte liegt sie da und weint. Sie sagt immer: „Hilfe, Hilfe“. Ganz leise und ich habe gedacht, dass es ein Weinen wäre. „Hilfe, Hilfe!“, sagt sie und weint. „Hör auf!“, sag ich, „hör auf!“ Ich muss sie halten, sie zerbricht mir. „Hör auf!“, sag ich, „hör auf, du bist verrückt.“ Ich nehme ihre Hand und sie schreit. Draußen stehen die Kinder ums Haus als wären sie kleine Hunde, spielen und lachen und denken so laut, dass mir die Schädeldecke zerspringt. „Hör auf!“, sage ich, aber niemand hört auf. Die Kinder draußen denken so laut, dass mir übel wird. „Du bist verrückt, verrückt!“, sag ich. Ihre Beine sind nackt und weiß. Wie krank liegt sie da mit ihren Haaren, die ihr am Gesicht kleben und ihrem irren Blick. Es ist laut hier. Die Kinder schreien wie kleine Hunde. Was bildet ihr euch ein, ihr Hunde? Ihr seid doch verrückt! Seid ihr doch. Ihr seid doch! Ich sehe nach draußen. Sie lachen und denken so laut, dass mir mein Kopf zerplatzt. Ich drehe mich um, um sie zu erschießen, aber ich bin zu schwach. B. liegt da wie tot. „Leck nicht wieder deine Vorderzähne!“, sagt sie. Ihr da draußen, was sprecht ihr? Ihr Verrückten, ihr erbärmlichen Blinden! Ihr könnt mich nicht täuschen, ihr Wahnsinnigen. Ha, ich lache euch ins Gesicht, ihr Hunde. Was versteht ihr schon? Behaltet euer wirres Zeug, behaltet es in euern kleinen, dummen Schädeln und steckt nur mich nicht damit an. Nicht mich. Aus meinem Kopf bring ich euch raus. Ich lass mich nicht verrückt machen. Ich nicht.

Platzkarte

So durstig plötzlich. Ein Glas Wasser nehmen und ans Fenster gehen. Wo sind die Menschen? Immer waren da Menschen. Ich benetze mir den Gaumen mit der Flüssigkeit: schal. Nur ein bisschen hinaussehen ins Glück anderer Menschen, in die hellen Wohnzimmer, die klingenden Weingläser auf den Glastischen: das Spiel auf der Bühne und ich in erster Reihe. Ein Traumplatz, nur die Luft ist zu knapp im Raum. Ich beginne zu hecheln, blicke hinüber mit hinausgestreckter Zunge. Werft mir was rüber, bitte, will ich sagen. Aber natürlich schweige ich: Platzkarte - unter Umständen Autogramme nach der Vorstellung. Ich klebe sie auf die kahlweißen Wände meiner hallenden Wohnung und hüte sie wie meinen Personalausweis. Wenn ich daran vorbeigehe, kommt es mir dann manchmal vor, als wäre ich selbst einer dieser Schauspieler. Ich memoriere heimlich die Texte, die ich von ihren Lippen durch das Fenster ablesen kann, aber zum Sprechen fehlt mir das Talent. Ich werde nie auf so einer Bühne stehen.

Das Wasser ist aus. Ich hebe das Glas zum Trinken an und warte noch auf den letzten Tropfen. Er rinnt so grässlich langsam. Wenn er meinen Mund erreicht, ist mein Gaumen wieder ausgedörrt. Ich wusste nicht, dass man so durstig sein kann.

Holzung

Vater in der Stube. Ich sah Schweißtropfen durch die Furchen seiner Stirn laufen bis zur Nase und von ihr regelmäßig wie das Tropfen eines Wasserhahns zu Boden fallen. Er am Stuhl, den linken Arm ausgestreckt, hielt den Schaft seiner Axt, griff immer wieder danach als wollte er sicherstellen, dass sie noch da war. Minutenlang saß er da, dann endlich Regung in diesem Totenspiel, wenn er sie nahm, sich auf den Schoß legte und mit dem Daumen die Schärfe der Klinge überprüfte, alles ohne die Augen zu öffnen. Holzspäne überdeckten den Boden wie ein Gewächs, das sich von Tag zu Tag weiter ausbreitete, unsere Füße umschmeichelte wie eine Katze, nur, dass es immer höher und höher wuchs. Eines Tages, so dachte ich, würden wir bis zu den Knöcheln darin zu stehen haben. Es würde unsere Fußgelenke umfassen wie die Fangarme einer Pflanze.

Ich sah Mutter am offenen Feuer stehen. Ihre Haare fielen in Strähnen ihren Rücken entlang. Auf ihrer Kleidung waren Flecken, die mich manchmal an Blut, manchmal an Schweiß denken ließen, obwohl ich doch wusste, dass sie beides nicht waren. Was ich wusste, war, dass sie jeden Abend überlegte, ob das das Leben war, das sie erwartet hatte. Sie saß dann an ihrem Teil des Bettes und legte ihren Schädel in ihre Handfläche. Manchmal weinte sie. Ich hörte jedes Wort, während Vater wie ein Toter neben ihr lag. Sie sprach davon, in die Stadt zu gehen. Einmal, als sie glaubte, ich würde schon schlafen, sah ich, wie sie das Tintenfass aus Vaters Schreibtisch nahm. Sie schrieb einen Brief, den sie unter ihren Kopfpolster schob. Das Wort Abschied stand in ihren Augen, aber am nächsten Morgen fand ich sie wieder in der Küche, das Brot in Scheiben schneidend.

Die nächsten Minuten brachten Veränderung. Sofort wusste ich, dass nichts mehr so sein würde wie zuvor. Mutter trug den Topf zu Tisch. Schwester, die zwei Jahre älter war als ich, folgte ihr mit leeren Händen. Ich sah nur auf Vaters Daumen, der über die Klinge der Axt fuhr und plötzlich inne hielt. Vaters Interesse galt Dingen, die nicht vorhanden waren. Er blickte auf die Hände seiner Tochter und völlig überraschend, wie das plötzliche Anschlagen eines Hundes, der noch Sekunden davor ruhig dagelegen war, fielen einzelne Worte. „Brot“ sagte er. Er steckte den Daumen in den Mund, nahm ihn wieder heraus und beleckte einen kleinen Riss mit seiner kurzen, breiten Zunge. Von der Nase fielen ihm Schweißtropfen in die Wunde. „Nicht einmal das mehr?“, sagte er. Seine Augen jagten in den grauen Höhlen. Er sah zur Mutter, an ihr vorbei zur Küche, auf den Mehlsack, zurück zu ihr, zur Schwester, zu mir, dann wieder zu Schwesters Händen und wieder zur Mutter. Alle wichen wir seinem Blick aus, als hätten wir uns gegen ihn verschworen. Die Axt fiel ihm aus den Händen, knallte zu Boden und Schwester zuckte wie unter einem Peitschenhieb zusammen. Ihr Körper spannte sich, als wollte sie mit ihren Muskeln einen Panzer schaffen.

Vater stand auf. Sofort hob er die Axt auf und fasste sie mit beiden Händen. Ich hatte Angst davor, ihn denken zu sehen. Langsam, als würde er mit Schnüren nach oben gezogen werden, hob sich sein Kopf. Etwas arbeitete. Da war ein Gedanke in ihm, von dem ich nur wusste, dass ich ihn fürchten musste, eine Idee. Immer weiter hob sich sein Kopf. Es hatte mit mir zu tun. Seine Augen fixierten mich. Er begann zu lächeln, ein sicheres Zeichen der Gefahr, und ging auf mich zu. An seinem dürren Körper schlotterte das Hemd. Er war hungrig, so wie wir alle. Immer breiter wurde sein Lächeln. Ich sah, dass ihm Zähne fehlten. Ich wollte zurück weichen, spürte hinter mir die Wand aus Holz und die kühle Luft, die durch Ritzen drang und mir wie eine fremde Hand unter das Hemd fuhr. „Und du“ sagte er. Seine Stimme war liebevoll wie nie zuvor. Er senkte die Axt nieder, lehnte sie gegen die Wand. Für einen Moment spielte ich mit dem Gedanken, sie an mich zu nehmen. Ich wusste nicht, was in ihm vorging. Als er die Hand ausstreckte, dachte ich an ein Tentakel, das in mich hinein griff, das nie an meiner Haut abprallen konnte, das jederzeit in mich hinein konnte, in mir wühlen konnte, Dinge aufhob, um zu sehen, was darunter lag. Ich spürte das Gewicht auf meinem Kopf, seine dicken, haarigen Finger an meiner Schläfe herunter gleiten, meiner Wange. Aber längst schon sah er an mir vorbei. Sein Gedanke reichte viel weiter als ich ihm folgen konnte. Endlich nahm er die Hand von mir, streckte sie aus und deutete aus dem Fenster in eine Richtung. Er, sagte Vater, deutete, habe keine Geduld mehr.

Das Ziel seiner Gedanken war mir fremd. Ich versuchte ihm zu folgen. Vater dachte ich, du bist zu schnell, du musst auf mich warten. Ich sah nur die vertrauten stummen Bäume vor der Hütte. Dann fiel seine Hand herab, als hätte man sie abgesägt, fiel herab wie ein Ast, der seinen Halt verloren hatte, zurück auf meinen Kopf. „Es gibt keinen Aufschub mehr“ ,sagte er. Minutenlang spürte ich die raue, kräftige Hand auf meinem Körper. Dann ging er die wenigen Schritte zu meiner Schwester, die sich wie ich an die Holzwand gepresst hatte und begann auch sie zu streicheln. Er war mir fremd wie nie zuvor. Hilfe suchend sah ich zur Mutter, deren Körper keine Brüste mehr trug. Sie spannte sich wie unter Schmerzen. Es war, als würde sie zerreißen. Endlich brach sie in Tränen aus und setzte sich so plötzlich, dass es den Anschein hatte, als hätte jemand ihr die Beine gebrochen. Wir begannen Blicke auszutauschen. Ich zur Mutter, sie zur Schwester, diese wieder zu mir. Nur Vater spielte nicht mit. Schwesters Augen blieben auf mir. Die Hand des Vaters war noch immer auf ihrem Kopf. Wie mechanisch fuhr sie ihr über die Wangen, die Schläfen, suchte ihre Ohren, ihren Hals. Noch nie hatte ich sie so in Angst gesehen. Ich weiß nicht, warum, aber plötzlich, als ihre Augen so Hilfe suchend auf mir klebten, begann auch ich zu lächeln.

In der Nacht lag ich wach, hörte Mutters Stimme. Es schien, als wären es Worte einer Diskussion, aber ich war mir sicher, dass Vater schlief. Im Bett neben mir das gepresste

Atmen meiner Schwester. Wir starrten aneinander vorbei und erschraken, wenn wir uns im Dunkel gefunden zu haben glaubten. Schwesters Augen glänzten, als wären sie mit einer fetten Salbe überzogen. Die Tür zum Schlafzimmer unserer Eltern stand offen. Mutters Stimme. Immer wieder sagte sie, dass es nicht recht sei. Ich wusste, sie sprach von der Idee. Sie erhob sich. Ihr Nachtkleid schleifte am Holzboden. Ich sah ihre Füße nicht. Sie ging ins Vorzimmer, öffnete die Haustür, machte einige Schritte nach draußen und stand im Mondlicht. In ihrer Hand war ein kleiner Beutel, den sie aufschnürte und mit etwas füllte, das sie vom Erdboden auflas. Dabei blies ihr der Wind das Kleid an den Körper und zeigte ihre kargen Konturen.

Wir würden ihn beide begleiten, sagte Vater. Wieder trug er sein Lächeln im Gesicht. Ich hatte Angst, ihn so glücklich zu sehen. Die Sonne war noch nicht aufgegangen, als ich aufstand und ihm beim Angürten seiner gewaltigen Bütte half. Niemand stellte Fragen. Vater war nie vor Sonnenaufgang außer Haus gegangen, aber seine Hand, die mir übers Haar strich, schien mir Antwort auf alles. Ich dürfe seine Axt tragen, sagte er und Sekunden später spürte ich das Gewicht des Harzschlürfers schon in den Händen, stellte mir vor, wie es wäre, die Schneid in einen Stamm zu jagen, hörte das Holz ächzen und das Harz daraus hervorquellen. Es würde ein Kampf gegen die Natur werden, dachte ich. Ich würde einen Feind besiegen, der größer als ich, größer als mein Vater, ja, größer als jedes andere mir bekannte Lebewesen, sein würde. Nie zuvor hatte ich mich meinem Vater so nahe gefühlt.

„Schwester“ sagte ich. Die ganze Zeit über schlugen ihre Augen wie mechanisch auf und zu. Sie trug den geflochtenen Korb meiner Mutter, wich meinem Blick aus und langte plötzlich mit merkwürdig kühlen Fingern wie ein Ertrinkender nach meiner Hand. Es sei gar nicht die Zeit, sagte sie, um Waldbeeren zu pflücken. Ihre Stimme ohne jede Verwunderung, als wäre lediglich etwas eingetreten, das sie längst erwartet hatte. Sie klappte den Deckel des Korbes auf und ich sah den Beutel darin liegen. Brot, dachte ich, doch dann kam mir in Erinnerung, dass keines mehr übrig war und ich nahm ihn heraus und entschnürte ihn mit einer Hektik, die mir selbst unangemessen erschien. Ich langte hinein, zog den Arm wieder zurück, öffnete langsam die Hand und blickte auf die kleinen Steine darin. Ich spürte Mutters Blick und erwiderte ihn, während die Kiesel zwischen meinen Fingern hindurch in den Beutel zurück fielen. Wie bei den Augen meiner Schwester zuvor, klappte nun Mutters Mund auf und zu ohne dass ihr ein Wort über die Lippen kam. Sie kam näher, blickte auf Vater, der voraus gegangen und nur noch ein Schatten im Dunkel war, nahm den Beutel heraus und drückte ihn mir in die Hand. Augenblicke später sah ich die Rückseite ihrer weißen dürren Beine Vater nachjagen, dann sah ich mich um und glaubte, ein schwarzes Tier von abnormer Größe auf dem Dach der Hütte zu sehen.

Die Sonne brach durch die Bäume und ich sah plötzlich die Spur hinter mir. Es waren kleine Steine. Sie fielen aus Mutters Beutel und ich dachte daran, die kleine Öffnung, die ich erst jetzt bemerkte, zuzudrücken, damit ihr Geschenk an mich nicht verloren ging. Schwester hielt mich davon ab. Ich hörte Mutters Stimme vor uns, blickte zum ersten Mal nach langer Zeit wieder vom Boden auf und sah, wie sie heftig gestikulierte. Ich wusste, es ging um Vaters Plan, den sie zerstören wollte und schon dachte ich daran, den Beutel ungesehen fallen zu lassen. In unregelmäßigen Abständen drehte sich Vaters Kopf zu uns herum, jedes Mal sah ich trotz der Entfernung das Lächeln und jedes Mal erwiderte ich es. Alles in Ordnung, Vater, dachte ich. Ihr habt uns nicht verloren. Dann hörte ich Schwesters Keuchen neben mir, sah, dass sie humpelte und mich trotzdem an der Hand unseren Erzeugern nachzog. „Komm, kleiner Bruder“ ,sagte sie, worauf ich mit dem Kopf gegen den Stiel der Axt, die ich geschultert hatte, stieß. Sofort bot sie mir an, diese für mich zu tragen und ebenso schnell dachte ich an Vater und lehnte ab.

Zu Mittag Rast. Niemand fragte. Noch immer das wissende Lächeln auf Vaters Gesicht, als er nach meinem und Schwesters Kopf gleichzeitig griff. Ich müsse es nun wissen, meinte er. Der Wald, und er nahm plötzlich die Hand von mir und schlug mit der blanken Faust gegen einen Stamm, wäre unser aller Tod. Seine Augen blitzten und ich verstand nicht, wie er immer noch lächeln konnte. Zum Teufel wünsche er all das Holz, jeder Meter sei fremder Boden, jedes Reh, das unsere Kinderaugen erfreute, lache ihm spöttisch entgegen, weil es wüsste, dass von ihm keine Gefahr ausgehe. „Fleisch“ rief er aus und spuckte eine gewaltige Menge schaumigen Speichel gegen die Rinde, den ich mit den Augen verfolgte, während er langsam am Stamm herunter zu laufen begann. Dann nahm er meinen Kopf in beide Hände. Es fühlte sich an, als wollte er ihn zerdrücken. Ich sei alt genug, sagte er. Ich solle es besser haben und auch sie, meine Schwester, habe ein besseres Leben verdient. Er vergrub sich mit fremden Worten, schien sich dabei mehr und mehr von mir zu entfernen, bis mir die einzelnen Silben mehr und mehr wie ein Pochen erschienen, das von tief unter der Erde kommen musste. Begriffe fielen, die ich nie zuvor gehört hatte, die ich nicht verstand, die mir zu groß, zu gewaltig klangen und ich ertappte mich dabei, wie ich zwischen diesen Riesenhänden zu nicken begann. Seine Augen wurden mir unheimlich. Im Gefängnis seiner Finger blickte ich zur Schwester, dann zu Mutter, die sich abgewandt hatte, als ob von nun an nichts mehr sie betreffen würde, spürte die Axt auf der Schulter und verstand, das sie nun meine war. Noch immer Worte. Seine Daumen zerdrückten mir die Schädeldecke. Schwesters Augen waren geschlossen, aber ich wusste, sie verstand, was er sagte. Ihr Gesicht erinnerte mich an das einer hölzernen Puppe. Wieder hatte sie damit begonnen, den Mund auf und zu zu klappen, als ob sie sprechen wollte und plötzlich hörte ich mich selbst sprechen: „Es wird schon alles gut, Mutter“, sagte ich, ohne den Blick von der Schwester zu nehmen. Dann endlich waren die Hände von mir, das Pochen verstummt und ich blickte zu Mutter, begann wie Vater zuvor einfach weiter zu sprechen, zu beruhigen. Ich wollte die Traurigkeit aus ihrem Gesicht reden, wollte ihr mit jedem Wort ein Stück ihrer Bitterkeit herausschlagen. Nur der freie Mann habe Hoffnung, sagte ich. Sekunden später zweifelte ich daran, dass es meine eigene Stimme war, die das gesagt hatte. Ich hörte Vater, wie er tief Luft einsaugte. Er lächelte. „Ich wusste“ ,sagte er, „dass du mein guter Sohn bist.“

Wir erwachten. Mein erster Griff, noch bevor ich mich umsah, an den Schaft der Axt, Vaters Geschenk an mich. Ich lag am Rücken, blinzelte gegen die Sonne, die auf uns herunterbrannte und bemerkte in den Ästen direkt über mir den schwarzen, fetten Vogel, der mich herausfordernd ansah. Dann wie durch einen plötzlichen Gedanken, der hässlich war, den ich sofort von mir schüttelte, schrak ich hoch. Schwesters Kopf neben mir wie geschnitzt. Sie hob die Lider, erblickte mich, schrak dann ebenso wie ich zuvor plötzlich hoch. Ihre Augen rollten in den verklebten Höhlen. Sie blickte um sich, legte ihre Hand auf den Hals und begann sich wie wild im Kreis zu drehen. Es sah aus, als würde sie jemand an unsichtbaren Fäden tanzen lassen. Dann stand sie plötzlich wieder still. Ihre Arme, die zuvor ausgeschlagen hatten, hingen wieder hölzern an ihr herab. Am Boden lag Mutters Beutel. Sie sagte „Die Spur“, aber sie hatte keine Kraft mehr, darauf zu deuten. Erst dann bemerkte ich, dass wir allein waren.

Der fette, schwarze Vogel in den Ästen begann sich zu bewegen. „Sieh nur“ ,sagte ich und deutete. Tannennadeln klebten auf ihrem Puppengesicht. Ich ging zu ihr, begann ihre Hand zu streicheln und mit der anderen den Schaft der Axt zu drücken, dann umgekehrt: die Axt zu streicheln und ihre Hand zu drücken. Ich konnte mich nicht entscheiden, blickte mich um, sah Vaters Speichel noch auf der Baumrinde, dann den Blick weiter: die Spur aus kleinen Steinen, die aus dem Beutel geronnen waren. Ich sagte: „Der Vogel“ ,und Schwesters Augen klappten auf und zu. „Die Spur“, sagte sie, worauf ich ihre Hand los ließ und die Axt nahm. Es schien eine Entscheidung zu sein. Das Gewicht des Werkzeugs kümmerte mich nicht mehr. Mit beiden Händen holte ich aus, fixierte Vaters Spucke an der Rinde, schlug zu und sah ungläubig, wie die Schneide in den alten Stamm fuhr. Harz wie dickes, klebriges Blut, als ich sie zurück zog. Neben mir klappten die Augen der Schwester auf und zu, dann auch ihr Mund und ich holte noch einmal aus. Ich wusste nicht, was ich tat. Vaters Spucke an der Rinde und der harzige Geruch der Verwundung. Dann ließ ich die Axt sinken, hörte für Sekunden nichts als das Rauschen von Blut, langsam, wie von ferne, Schwesters Schritte im Gras. Sie hatte den Kopf gesenkt. Sie fixierte die Spur aus Steinen, setzte ihre dürren Beine nach und nach neben Mutters Geschenk. Als ich sie am Arm packte, verklebte Harz unsere Haut. „Hast du gesehen, wie ich ins Holz geschlagen habe?“, fragte ich, während ich sie zurück führte. Ich hob die Axt und hielt ihr die mit Harz verklebte Schneide unter die Puppenaugen, dann unter die Nase. Ihr Mund klappte auf. Ich sah ihre Zunge, die abwechselnd ihre oberen und unteren Vorderzähne betastete. Dann zaghaft, als fürchte sie den Schlag einer Peitsche, streckte sie ihre kleinen, dicken Finger aus, griff durch die Luft wie durch einen zähen Gegenstand, der langsam beiseite geschoben werden müsse, und deutete auf die Spur aus Steinen. Ich begann zu lächeln. Ich dachte an Vater, legte die Axt nieder, nahm ihren Kopf in meine beiden harzverschmierten Hände und drückte mit meinen Daumen von oben auf ihren Schädel, bis sie die Augen schloss.

Der Beutel würde zurück bleiben. Immer wieder hatte Schwester versucht, ihn mir in die Hände zu drücken, aber es war kein Platz, da ich beide Hände für die Axt benötigte. Sie hatte ihn in meine Tasche gesteckt und ich hatte ihn darin gefühlt wie eine verfaulende Frucht, ihn herausgezogen und ins Gebüsch geworfen und sie hatte ihn wieder gebracht wie ein abgerichteter Hund. Ich dachte an Vater, sah Schwester an, wie sie den Mund auf und zu klappte: Unhörbare Worte aus dem hölzernen Schädel, die blonden Locken mit Harz verschmiert als wären sie damit an den Knochen geklebt. Dann meine Hand auf ihrem Kopf wie eine giftige Spinne, den Daumen fest gegen die Schädeldecke gedrückt, als könne ich ihr so die Gedanken aus dem Hirn saugen. Zuletzt hatte ich den Beutel genommen (ihre Vorfreude, das Glück in den Augen), jedoch ihn an der Schneide der Axt hin und her gewetzt, bis die Fasern rissen und alle Kiesel gemeinsam zu Boden fielen. Ihr Blick, als hätte ich Mutter getötet, zuerst noch Hoffnung („Wir müssen ihn flicken", trennte Fäden aus ihrem Kleid), doch schließlich und immer wieder die Axt auf den Beutel, den ich ihr entrissen und auf den Boden geworfen hatte, als wäre es ein Tier. Tausendmal gespalten, der Schweiß von meiner Stirn und endlich die Stofffetzen mit dem Fuß in den Boden getreten wie ein Insekt. Sie sprach nie wieder darüber.

Der fette, schwarze Vogel war Schuld, dass wir abends an die Lichtung kamen, an der das Haus stand. Schwester und ich, wir waren im Wald aufgewachsen. Wir wussten um Ritzen, durch die sich im Winter eisige Luft ins Zimmer zwängte, den Schlaf im Stockbett mit eingezogenen Füßen. Nie hatte ich gedacht, dass anderes Leben möglich war, dachte sofort an Vater, seine Spucke am Stamm. Doppelstöckiger Ziegelbau verhöhnte uns, die breite Treppe, hinter den Fenstern das warme Licht aus Kronleuchtern. Wir müssten sofort umkehren, sagte Schwester. Umkehren, umkehren, immer diese Worte ausstoßend, noch, als ich den Türhammer nahm und gegen die massiven Holztore klopfte. Ich wusste, sie dachte an Mutters Beutel.

Die Kinder des Holzfällers, sagte die Frau, die uns öffnete. Sie trug ein blaues Nachtkleid aus Seide und sagte nur, was wir ohnehin wussten: dass es spät sei, dass wir allein waren und ich blickte fassungslos in den Ausschnitt ihres Kleides. Sie öffnete die Tür und wir verteilten den Schmutz unserer Schuhe auf Teppichen im Vorzimmer. Ich spürte Schwesters Fingernägel, die sich in meinen Arm bohrten. Ob er, unser Vater, uns geschickt habe, fragte die Frau im Nachtkleid. Ihr Arm legte sich um meine Schulter und ich spürte das dicke, warme Fleisch im Nacken. Ob ich sie nicht abstellen wolle (ihr Blick auf die Axt). Ich bemerkte den süßen Geruch, der von ihr ausging, verspürte plötzlich Lust, das weiche Fleisch anzufassen, schlang meinerseits den Arm um sie (sie lachte) und wir gingen Arm in Arm eine Treppe hoch. Ihr Mann, sagte sie, sei leider schwer krank, aber er würde uns Kinder sicher auch gerne einmal sehen. Sie öffnete eine Tür, schob zuerst mich dann Schwester ins Schlafzimmer. Der Raum war gefüllt mit dem Geruch nach Krankheit und Schweiß. Im Kamin brannte Feuer. Unter der Decke der blasse Schädel eines Mannes, der langsam die Augen öffnete. „Die Kinder des Holzfällers“ ,sagte sie. Bunte, wandhohe Vorhänge wehten am Fenster. „Bringen sie das Geld?“, fragte der Kranke. Er schlug die Stirn in Falten. Seine Hand streckte sich zitternd aus und ich wusste, es war die Axt, die er suchte und die ich noch immer mit mir trug. Was ich mit ihr wolle. Seine Finger streckten sich weiter, lächerliche Zentimeter, bis die Hand plötzlich auf die Bettdecke zurück fiel wie ein Vogel, den man im Flug geschossen hatte. Sekunden später wieder das Rasseln seines Atems.

Ob er uns nicht etwas mitgegeben hätte. Einen Beutel mit Münzen. Wir saßen am langen Eichentisch. Fett klebte mir am Mund, an den Händen, Wangen und immer noch griff ich in die große Schüssel vor uns, steckte mir mehr und mehr Fleisch in den Mund und war glücklich, wenn ich die Knochen darin zerbrechen hörte. Schwester schüttelte den Kopf. Sie hatte nichts gegessen. „Vielleicht eine Nachricht von eurem Vater?“ Ich drückte das Fleisch gegen den Gaumen. Es war so weich, dass ich die Zähne nicht gebrauchen musste.

Später unter weichen Decken. Schwester saß aufrecht im Bett, blickte durch ein offenes Fenster auf den Mond über den Baumwipfeln. Es schien, als würde ihr Gesicht leuchten. „Wir müssen zurück“, sagte sie und im gleichen Moment begann draußen ein Hund zu bellen. Noch immer hatte ich den Mund fett und zwischen den Zähnen Reste von Fleisch, die ich mit meiner Zunge betastete. Ob ich denn gar nichts verstünde. „Das Geld“, sagte sie, sah mich an. Sie deutete in Richtung des Schlafzimmers, in dem der Kranke lag. „Er hat erwartet, dass wir Vaters Geld bringen.“ Ich dachte an das Gesicht, das unter den Decken hervorsah, den verschwitzten, wie mit einer Glasur überzogenen Arm, der sich nach der Axt streckte, dann plötzlich an Vater, die Spucke am Stamm und seine dicken Daumen, die mir die Schädeldecke eindrückten. Ich griff nach der Axt. Holzstaub und Vaters Speichel. Wie er wollte ich die Schärfe überprüfen, griff hin und schnitt mich, war mit einem Mal hellwach und starrte auf die lächerliche Wunde, aus der nur langsam Blut trat. Schwester war eingeschlafen. Ihre Haare klebten ihr an der Stirn wie mit zäher, klebriger Flüssigkeit befestigt. Dann die Axt: Stahl, der in hölzernes Leben fährt. Harz wie Blut. Mutters grauer Körper vor der Hütte. Wir hatten das Gold im Beutel nicht gebracht. In meinem Mund noch immer Reste von Fleisch zwischen den Zähnen. Ich blickte auf meinen Finger, aus dem kaum Blut kam und drückte das Fleisch zusammen, bis wenigstens ein weiterer Tropfen kam. Ich wusste nicht, was ich tat. Ich glaubte, irgendetwas verstehen zu müssen, drückte weiter, immer fester, ich wollte so viel wie möglich heraus holen, sah das dicke, zähe Blut widerwillig austreten und dachte an das Harz, das aus dem Stamm mit Vaters Spucke gelaufen war. Es erschien mir ähnlich, etwas ergriff mich, ich hatte das Gefühl, gerade noch einem Unglück entkommen zu sein, einem Missverständnis, einem Fehler in meinen Gedanken. Um ein Haar hätte ich Vater missverstanden. Alles ergab mir plötzlich Sinn, ich stand auf, ging zu dem ruhenden Körper meiner Schwester im Bett nebenan und legte meine Hand auf ihre warme Wange. „Alles wird nun gut“, sagte ich und lächelte. „Alles wird nun gut.“

Minuten später war sie hellwach. Ihre Holzaugen klappten auf und zu, ihr Mund, sogar ihre Arme, als würde ein

Unsichtbarer die Fäden ziehen. Auf und zu, auf und zu. Ich hatte Lärm gemacht. Ich hatte schon zuvor gewusst, dass es laut werden würde. Schwester hatte ihre Hand ausgestreckt. Sie deutete auf etwas, was hinter mir war. Als würde Gefahr hinter mir lauern, aber niemand wusste besser als ich, dass die Gefahr nun vorbei war. Ich hatte die Falle entschärft, ich hatte uns in Sicherheit gebracht. Ganz leise kamen Geräusche wie von weit her. Sie näherten sich mit rasanter Geschwindigkeit. Ich blickte ungläubig auf Schwesters Mund, der offen stand, bis ich verstand, dass die Laute von ihr kamen. Sie schrie. Es klang wie ein Tier. Der Nachtwind strömte durchs offene Fenster, wehte die wandhohen Vorhänge gegen das Bett. Noch immer Feuer im Kamin, Geruch nach Schweiß und Krankheit. Schwesters Gesicht verfärbte sich. Ihre Pupillen wie mit einem Pinselstrich gezogen. „Es kommt jemand", sagte ich. Sie hörte mich nicht. Noch immer war ihre Hand ausgestreckt. Sie deutete auf das, was hinter mir lag. Sie konnte nicht wegsehen. Schritte auf der Treppe. Einmal noch, dachte ich und Schwester erriet die Gedanken sofort. Es war ein Wettlauf. Ihre Hände griffen nach dem Werkzeug in meinen Händen. Sie fiel auf die Knie. Ich verstand nicht, blickte auf das bleiche Gesicht, auf dem schmierige Tränen klebten und schlug ihre Hände von mir. Sekunden später sah ich das blaue Nachtkleid in der Tür. Schwesters Mund offen. Ihr Kopf drehte sich herum: gleichmäßig, als hätte sie ein Kugellager im Hals. Ich sah auf das Kleid, dem in rasanter Geschwindigkeit Äste wie

Geschwüre entwuchsen. Es war keine Zeit. Ich dachte an daheim, an Vater, der mir den Kopf zerdrückte, hob wieder das Werkzeug. Noch einmal, dachte ich, schlug zu und sah die klebrige Flüssigkeit, wie sie heraus schoss, dann den Stamm knicken und unendlich langsam zu Boden fallen. Leben, das in kleine Stücke zerfällt, Splittern und endlich war alles vorbei.

Seither waren Stunden vergangen. Ständig wiederholte ich Worte, die mir aus dem Mund schnellten wie Pfeile, die ich von der Sehne ließ. Ich zielte nach Schwesters Kopf. Jeder Fehlversuch spornte mich nur mehr an. Sie ging neben mir her. In Mutters Korb, den sie trug, lagen Münzen, auch der Schuldschein, den ich vor den Augen des Vaters vernichten wollte. Ich wollte sehen, wie sich die schlanken Ohren beim Geräusch von reißendem Papier genussvoll an den Schädel legten.

Zu Mittag Rast. Der gleiche Ort wie Tags zuvor und ich erkannte sofort den Stamm, aber nichts daran zeugte von Vater. Schwesters Hand wühlte gedankenverloren im Korb. Münzen fielen ihr durch die Finger. Viele landeten außerhalb des Korbs im Gras. Ich blickte auf die Flecken an ihrem Kleid und sagte, dass es ein Leichtes sein würde, in die Stadt zu gehen und ihr ein neues, viel schöneres zu kaufen. Die Vergangenheit läge hinter uns, ich hatte das Wort Zukunft vor Augen: gleißend hell. Ich aß Fleisch, während sie minutenlang auf die Münzen starrte, die durch ihre Hand fielen, sich dann plötzlich umblickte und mich ansah, als hätte sie eben eine hässliche Gewissheit erhalten. Ob ich wüsste, wo Vaters Schaufel war. Es waren ihre ersten Worte seit dem Verlassen des fremden Anwesens. Das Fett am Fleisch war hart geworden, glänzte weiß. Ich biss ab und hörte, wie in meinem Mund einzelne Knochen zerbrachen.

Stunden später sahen wir in der Ferne die Hütte unserer Eltern. Schwester sprach von der Schaufel. Es war ihr einziges Thema. „Ich glaube, sie lehnt draußen am Zaun", sagte sie, „Er hat damit die Beete umgestochen." Zwischen den Zähnen spürte ich Reste von Fleisch, die ich mit der Zunge hin und her schob. Vor meinen Augen die Hütte, die immer näher kam. Ich dachte an Vater, glaubte schon, seine Gestalt in der Ferne zu erblicken und spürte plötzlich eine Hand, die mich ergriff, dass ich fast stolperte. „Bitte", sagte die Schwester. In ihren Augen war klebrige, zähe Flüssigkeit. „Bitte warten wir noch!"

Wir hatten nicht gewartet. Bei jedem Schritt war die Schwester langsamer geworden, als würde sie immer mehr Gewicht tragen. Ihre Füße knickten ein, sie stöhnte, aber immer, wenn ich fürchtete, sie würde einbrechen, setzte sie wieder einen Fuß voran und ging weiter. Ihre Augen hefteten sich auf die Hütte vor uns. Ich wusste, sie hatte etwas bemerkt, das ich nicht erkennen konnte. Die Bäume gaben die Sicht frei. Vater und Mutter, die davor standen, und ich sagte:

„Sieh nur!“, und schlug ihre Hand, die mich zurückhalten wollte, von meinem Arm. Sie knickte ein und fiel. Vater und Mutter vor der Eingangstür. Es schien, als würden sich ihre Körper bewegen, während Arme und Beine ruhig blieben. „Sie sprechen miteinander“, sagte ich. Schwester stand auf. Am blutigen Knie klebten Nadeln.

Dann sah ich Vater und Mutter schweben. Die Füße fassten keinen Boden. Bei jedem Windstoß berührten sich Beine und Arme, die nicht demselben Körper entstammten. Sie bewegten sich über der Erde. Schwester begann zu laufen und ich blickte auf den Korb, der ihr aus den Händen fiel. Münzen, die am Boden aufschlugen, einige, die ihr nachrollten, als wollten sie auf sich aufmerksam machen. Blick auf die schwebenden Körper, während sie darauf zulief. Dann stand sie direkt davor: Vaters Lederstiefel auf der Höhe ihres Kopfes. Ihre Augen klappten mechanisch auf und zu, immer wieder, dann auch ihr Mund, aber ich sah den Puppenspieler nicht. Ich kam näher, bis ich neben Schwester stand. Ich bemerkte Vaters Hals, den Hals der Mutter und endlich die völlige Normalität des Schauspiels: Schwerkraft. Nichts anderes hielt die Körper über dem Boden als die Stricke, die ihre Hälse zierten.

Schleifer

Hinter mir höre ich sie. Sie schleift am Boden bei jedem Schritt, den ich mache. Ich drehe mich um und halte, blicke, suche, mache die Augen weit in der Finsternis, bis sie schmerzen - und finde nicht. Ich bewege das Bein über den Beton und höre es wieder schleifen und ich stell mir vor, wie eine alte Mutter mit einem Messer Fleisch von einem Rindsknochen runterschabt. Schon habe ich diesen Geschmack von Rindssuppe im Mund, schon steckt der Holzlöffel im Topf und ich lecke mir die Lippen. Aber dann geh ich weiter und hör es wieder schleifen hinter mir. Es riecht anders: nicht nach Rindssuppe, nicht nach knackendem Holz im Ofen, nicht nach weichen Brüsten. Ich bleibe wieder stehen – fast hätte ich vergessen: Meine Fußknöchel jucken; ich weiß, das kommt nur vom Schleifen, von dem, was ich hinter mir her ziehe und wieder greif ich hin und es ist nichts hier.

Ich denke an S. und an den Traum von letzter Nacht: an ihr helles Gesicht und es scheint mir, als würde ich sie immer noch lachen hören, wenn sie mir das Buch am Pult aufschlagt und: „Da! Da!“ sagt. Ich kann´s nicht lesen: Alle Seiten sind weiß und leer und meine Finger gleiten drüber, blättern: vor und zurück und nichts - kein Buchstabe ist drauf.

Ich muss weiter, weiter schleifen, meinen Schädel in allerlei Löcher stecken, damit ich riechen kann, ob die Luft dort vielleicht eine andere ist und ob da jemand drin sitzt, der mir das Ding an meinem Knöchel durchhaut - einer, der es sieht.

„Nimm´s weg!“, werd ich ihn anschreien, den Hacker mit der Axt, „nimm´s weg und hau mir´s durch, selbst wenn der Fuß mit draufgehen muss!“ Ich denke an S. vor dem Buch mit den weißen Seiten, wie sie lacht und mit ihrem schlanken Finger auf etwas zeigt im Buch. Und ich gehe ganz nah hin, bis ich jede Rille in ihren langen Fingernägeln sehen kann.

Weiter. Hinter mir am Knöchel das Schleifen. Es gibt keine Worte im Buch, kann keine geben, sonst hätte ich doch gesehen. S. ist verrückt, muss es sein. Sie lacht, während ich ihren Unterarm mit beiden Händen packe, damit sie nicht weiter auf diese weißen Seiten deuten kann. Ich schreie: „Da ist nichts! Da ist nichts!“ und reiß ihr den Arm endlich herum. Dann hab ich sie plötzlich am Boden und pack sie am Genick, drück ihr Gesicht gegen meinen Fußknöchel und schrei: „Siehst du´s? Siehst du´s? Hack´s durch! Hack´s durch!"

Es ist ein Traum! S. sieht nichts. Sie ist blind wie ich. Vielleicht sieht sie die Worte im Buch ja genauso wenig. Die Vorstellung tröstet mich, obwohl ich weiß, dass es nicht stimmt. Das Schleifen hinter mir. Alles bleibt. S. ist kein Schmied – sie kann mir das Ding nicht abnehmen. Der Weg bleibt. Beton. Meine juckenden Fußknöchel. Das Schleifen. Ich denke wieder an die alte Mutter, an das Messer. Ich erkenne ihre Gesichtszüge: ihre Augen mit den kleinen Stecknadelköpfen drinnen, die immer und überall sind, die alles beobachten, ihre faltigen Hände, wenn sie das Fleisch vom Knochen schabt. Ich möchte plötzlich hinlaufen, ihre dicken Arme anfassen, ihr faltiges Gesicht in meiner

Handfläche spüren. Ich hatte vergessen, wie es klingt, wenn man mit dem Schürhaken in den Ofen fährt und die Glut darin verteilt. Wie konnte ich vergessen!, denke ich. Ich beginne zu lachen. Das Geräusch: das Schaben, das Schleifen, alles wird mir klar. Mutter, lache ich, ich bin hier, bin hier.

S. lacht wie ich. Ich beginne sie zu lieben. Es gibt dafür keine Worte.

Vernagelung

Ich war Stunden in der Werkstatt gestanden und hatte Nägel in Bretter geschlagen. Mein Arm schmerzte. Alle, jeden einzelnen, hatte ich wieder herausgezogen und befühlte nun die rostigen Eisenteile zwischen Daumen und Zeigefinger, zählte sie ab ohne hinzusehen. Erst als ich sicher war, keinen vergessen zu haben, steckte ich den Hammer durch die Schlaufe meiner Hose und die Nägel in die Hosentasche. Dann öffnete ich die Haustür, drückte schwach wie ein Kranker die Klinke herunter und sah Klara über das Kind gebeugt. Bei jedem Schritt schlugen die Spitzen der Nägel gegen meine Oberschenkel.

Ich müsse essen, sagte sie ohne aufzusehen. Wer arbeite, müsse auch essen. Ihre Hand am Kopf des Kindes wie um es zu verdecken. Am Tisch stand ein Topf Suppe. Ich tauchte die Kelle ein und aß.

Ein Meter zwanzig Länge, sagte sie. Das müsse sich ausgehen. Meine Haut war mit einer feinen Schicht Holzstaub überzogen. Die Hände wie Teile einer Maschine, deren Funktionieren ich bis vor kurzem nicht in Frage gestellt hatte. Ich sah, wie sich der feine Staub, der mir überall vom Körper fiel, mit der Suppe vermengte, rührte, bis nichts mehr davon zu sehen war und führte langsam den Löffel zum Mund. Das Gemüse war so weich, dass ich es mit der Zunge am Gaumen zerdrückte.

Klara stand auf und ich sah das Kind, das sie die ganze Zeit über mit ihrem Körper verdeckt hatte, in der Wiege liegen. Dann ging mein Blick weiter, verfolgte die Schnur an der Wiege bis zu Klaras Hand, die sie hielt, als sie sich zu mir an den Tisch setzte. Ihre Handbewegung erfolgte im immer gleichen Rhythmus, als würde sie eine ständig wieder kehrende Fliege von ihrer Haut verscheuchen.

Du warst fleißig, sagte Klara. Ich nickte und log. Die Nägel, die ich beständig und gewissenlos Stunde für Stunde um ihre Bestimmung gebracht hatte, rieben an meine Oberschenkel. Davon, dass sie Bretter miteinander verbinden sollten, wollte ich nichts wissen.

Den ganzen Tag über das Schlagen deines Hammers, sagte sie. Wie das Ticken einer Uhr. Ich sah, wie der Zeigefinger aus ihrer Faust schoss wie ein Pfeil, dessen Bestimmung es war, den Hammer zu treffen, den ich immer bei mir trug und den sie nie erreichen durfte. Wo ihr Finger endete, verlängerte sie ihn in Gedanken. Unsere Augen trafen einander zum ersten Mal, seit ich die Stube betreten hatte, und sofort verriet sie sich, wie sie sich immer verraten würde. Ich steckte meine Hand in die Hosentasche und zählte die Nägel.

Unser Kind hatte nie gesprochen. Ich hätte es in den Arm nehmen können wie Väter es taten, aber der Gedanke war mir unerträglich, geradezu blasphemisch. Unvorstellbar, dass es ein Mensch war, dachte ich, als mein Blick das Gesicht in der Wiege streifte. Die Augen wie mit Harz verklebt, der blanke riesige Schädel mit einer hauchdünnen Hautschicht überspannt. Als Klara aufhörte, die Wiege mit der Schnur zu bewegen, lag unser Kind bewegungslos in den Decken und ich hatte plötzlich den Griff meines Hammers in der Hand. Etwas riet mir, ihn weit von mir zu werfen. Das Wort Unglück stand im Raum. Aber stattdessen packte ich ihn immer fester, bis ich das Blut in der Faust pochen spürte. Ich wusste, dass Klara zusah, dass ihre Augen diesen Hammer fixierten, mehr noch als ihr Kind, mehr noch als mich. Ich konnte ihr Begehren fühlen, meine Hand mit ihrer zu tauschen, nur für eine Sekunde den Griff zu halten. Gedanken, dass sie mich längst verlassen hätte, hielte ich nicht den Hammer in meiner Hand, mehr noch: Ich wäre ihr nutzlos wie ein zerbrochener Teller.

Ich sah zurück in Klaras Augen. Mir war nicht aufgefallen, wie traurig sie war. Mir war nicht aufgefallen, wie traurig sie war, weil mir nicht aufgefallen war, wie traurig ich war. Ihre Hand zog wieder an der Schnur und bewegte die Wiege. Darin lag unser Kind. Darin lag der haarlose Riesenkopf mit den verklebten Augen, als wäre er vom Rest des Körpers abgetrennt. Als wäre nichts anderes mehr unter den vielen heißen Decken, als gäben die Decken nach wie Decken es tun, wenn man die Hand darauf legt. Klara und ich hatten einen Kopf in die Wiege gelegt, mehr noch: Ich hatte die Wiege um den Kopf des Kindes herum gebaut.

Lust, etwas zu spalten. Noch immer der Hammer in meiner Hand. Klara zog die Schnur und bewegte die Wiege, bewegte das Kind. Endlich ließ ich den Hammer los. Sofort mein Griff in die Tasche zu den Nägeln.

Minuten später trieb ich sie ins Holz. Ich war es gewohnt, zu treffen. Oft genug hatte ich auf meinen Daumen gezielt und verfehlt. Ich war wie der Messerwerfer im Zirkus, der das Fleisch verfehlen musste, weil er es nie anders gelernt hatte. Auf meiner Haut klebte der Holzstaub, bedeckte mich, überwucherte mich.

Ich dachte daran, die Schnur an der Wiege zu durchschneiden und die Decken, in die unser Kind gewickelt war, zu durchwühlen. Ich hörte das Knacken von Holz, in das scharfes Eisen fährt. Der Gedanke gewann Überhand. Er stieß auf keinen Widerstand. Er erschien mir angemessen.

Abends die Betrügende am Tisch mit der Schnur in der Hand. Geräusch einer schneidenden Schere. Die Nägel in der Tasche ritzten meinen Oberschenkel und Klara begann zu schreien. Sie sehe es genau, sagte sie. Ihr Gesicht erinnerte mich an trockene, aufgebrochene Erde. Ich dachte an einen Pflug. Es kam so schnell, dass ich nicht reagieren konnte. Ihre Klauen gruben sich in meinen Unterarm, entwurzelten ihn und mit ihm das, was ich in Händen hielt: die Nägel. Sie fielen zu Boden. Sekunden später hörte ich noch das Klirren. Es war mir nicht möglich, die Gesetzmäßigkeit ihrer Tat nachzuvollziehen. Klaras Finger verlängerte sich. Er entwuchs ihrer Faust, bis er die Nägel am Boden berühren konnte.

Ein Betrüger sei ich. Ihr Gesicht berichtete von Wahrheit. Ich kniete nieder, hob die Nägel auf. Gegen die Zweisamkeit, die sie mir bot, verwehrte ich mich und doch war sie meine Begleiterin auf dem Weg nach draußen. Hinter mir ihre Schritte, meine Hand fest am Schaft des Hammers. Ob ich es denn nun endlich machen würde, rief sie. Sie wolle und würde nun nicht mehr von mir weichen. Als wir die Werkstatt erreichten, starb ihre Vorstellung von dem, was ich geleistet hatte, einen schnellen, aber erwarteten Tod. Innerhalb von Sekunden überdeckte der Holzstaub auch ihr Gesicht wie eine Maske und ich erschrak bei dem Gedanken daran, dass es bei mir ähnlich sein müsse.

Ich würde ihn nicht hergeben, sagte ich und spürte das Blut in der Hand pochen. Drang, den Hammer zu missbrauchen, seiner Funktion zu berauben. Klara nun am Boden sitzend. Ihr Kopf starr, wie geschnitzt, ihr Mund nach unten geklappt, Worte ausstoßend, die im Holzstaub rasch ihre Reinheit aufgeben mussten, noch bevor sie mein Ohr erreichten. Sie streckte die Hand aus, ihr Finger deutete auf die Holzplatte, die am Arbeitstisch auflag, entwuchs mit rasanter Geschwindigkeit ihrer Hand und berührte schließlich die glatte Fläche. Ich müsse nun, sagte sie, woraufhin ich die Nägel aus der Tasche nahm und die Bretter an die Platte nagelte. Klara kurz vor der Ekstase, Gesicht vor Schmerz und Lust verzogen. Leises Stöhnen, als ich die Seitenflächen anbrachte.

Kurz danach die Holzkiste in meinen Händen, Klara wie tierisch darauf stürzend. Den Deckel solle ich nehmen, meinte sie. Worte wie „endlich“ fielen. Aber ich wusste, dass noch nicht alles vorbei sein konnte. Ihr Fehler lag darin, mein Gesicht unter dem Holzstaub, der es die ganze Zeit über begraben hatte, vergessen zu haben. Sie hatte berechnet, aber in ihre Rechnung hatte sich ein Fehler eingeschlichen, mehr noch: sie hatte einen Teil vergessen, einen Faktor, der ihre Rechnung noch in die Irre treiben würde, der horrende Kosten entblößen würde. Ich spuckte in meine Hände und begann, den Holzstaub aus meinem Gesicht zu wischen und sah, wie sie mit Schrecken ihren Fehler erkannte, der nun durch nichts wieder gut zu machen sein würde. Womit sie nicht gerechnet hatte, war mein plötzlicher Drang nach Entdeckung. Das Entkleiden schien für mich nun mit der größten Lust verbunden zu sein.

Ihre Augen starrten mir ins Gesicht, dann auf den Hammer, den ich vor mir her trug wie eine Fackel, der ich folgen musste. Verließ die Werkstatt, öffnete die Tür in die Stube, nur hinein und die Augen auf die Wiege geheftet. Nun Wahrheit, dachte ich, die Lust der Nacktheit.

Riss die Schnur heraus aus der Verankerung, den Hammer gehoben, nur drauf, nur drauf. Holz, ich kenne dich, Kind, ich kenne dich, all das ist mein. Ich zerhieb die Bretter, riss die Decken vom Kindeskörper. Hinter mir Klara mit der Kiste wie das, was längst zurück lag. Schon die Späne auf dem

Riesenschädel dieses entsetzlichen Körpers, schon Splitter im geschlossenen Auge und endlich die Stützen der Wiege durch, dass sie zerbrachen und das Kind mit dem Gesicht voran auf den Fußboden klatschen ließen. Wie hölzern klapperten doch die Beine auf den Fliesen, wie knöchern dröhnte der Schädel im Raum!

Und endlich Ruhe. Klara mit der Kiste hinter mir, ich durch die erleistete Arbeit des Zerschlagens wie selbst zerschlagen. Ihre Hände lasen das unsprechende Unaussprechliche auf und legten es in sein neues Bett aus Holz. Dann den Deckel darauf und mit zittrigen Fingern den ersten Nagel angesetzt. Nun die Zukunft, dachte ich, als ich das erste Eisen ins Holz trieb.

Zwischen den hölzernen Stäben

Daniel denkt an hölzerne Gitterstäbe. Er schlägt das Buch auf und starrt auf das bedrohliche Weiß der neuen Seite. Die Füllfeder zittert zwischen seinen Fingern. Er hält sie, als hätte er Angst, sie würde ihm entkommen. Dann setzt er sie nieder. Er sieht in Gedanken die hölzernen Gitterstäbe immer größer und sich selbst immer kleiner werden. In rasanter Geschwindigkeit kratzt er die Sätze mit schwarzer Tinte ins Papier und schlägt – kaum hat er den Punkt gesetzt – das Buch zu, springt auf, nimmt den Mantel vom Haken und flüchtet aus der Tür: „Erneut zwischen den hölzernen Stäben. Erwacht und in den ersten Momenten danach gegriffen – Luft zwischen den Fingern."

Minuten später pflügen seine Schritte durch die Gräberreihen eines Friedhofes. Sein Mund speit heißen Wasserdampf, während seine Augen in den Höhlen mal nach links, mal nach rechts rollen. Er verfällt einer Täuschung, die ihm weismachen will, dass die Gräber an ihm vorbeiziehen und nicht er an ihnen. Jeden Moment wartet er darauf, seinen eigenen Namen auf einem der Grabsteine zu lesen. Minuten nur benötigt es, bis er, außer sich vor Ungeduld, einen Friedhofsarbeiter, der ihm entgegen kommt, an der Schulter packt und rüttelt. Eine volle Gießkanne fällt zu Boden und schlägt dumpf am Kies auf. „Gestern", ruft Daniel, dem die Haare an der Stirn kleben, „habt ihr sie eingegraben." Er keucht heißen Atem in das fremde Gesicht, das ihm nicht helfen kann. Für einen Moment sieht er, wie das Wasser sich den Weg durch den Kies sucht. Dann taucht ein zweiter Arbeiter auf und Daniel lässt los. Die Körper kollidieren. Eine Gartenschere wird im letzten Moment zurückgezogen. Sofort legt der Neue seine Entschuldigungen dar. Zufällig, sagt er, habe er gehört, dass nach der eben Verstorbenen gefragt wurde. Etwas dehnt sich in Daniel wie eine Feder. Er hat das Gefühl, jeden Moment zerreißen zu können und muss sich irgendwo festhalten, um dem Druck standhalten zu können. Er entscheidet sich für den fremden Arm mit der Gartenschere, den er mit beiden Händen umschlingt, bis die Schere fallen gelassen wird. Die Augen des Gartenscherenmannes werden größer, aber er beruft sich auf sein gutes Vorhaben und zeigt Daniel den Weg zum Grab.

Kaum ist er allein, knicken ihm die Kniekehlen ein, als hätte jemand mit einem Knüppel dagegen geschlagen. Seine gefalteten Finger zerdrücken sich aneinander. Er bemerkt die frischen Blumen und sein Versagen, überlegt Worte und beginnt plötzlich zu sprechen, sodass er selbst davon überrascht wird. Es tue ihm leid, bekennt er. Er bereue seine Schuld vor der Toten, obwohl er glaube, dass die Tote tot sei und im Tod das Interesse für Schuldfragen endgültig verebbt sei. Trotzdem bitte er die Tote um Verzeihung, obschon sie als Tote nichts mehr zu verzeihen habe. Auch sei es sinnlos, vor ihrem Grab zu beten, da ihr Grab nichts weiter als ihre Überreste enthalte, die nichts mehr mit dem Menschen zu tun hätten, den er zeit Lebens so gemieden und gefürchtet habe. Er tue dies allein, um sich selbst einen Gefallen zu tun. Er will ein Vater Unser sprechen und bringt alle Worte durcheinander. Immer wieder muss er neu damit beginnen. Die Menschen, die an ihm vorbei gehen, denken, es sei durchaus verwunderlich, dass jemand vor dem Tod auf die Knie fällt.

Daniel sieht die Notwendigkeit des Sterbens ein. Was er kritisiert, ist der Zeitpunkt. Er merkt an, dass dieser schlecht gewählt sei. Der Bestimmer jenes Zeitpunktes hätte die besonderen Verhältnisse in Betracht ziehen müssen. Der Großmutter, die ihm hier zu seinen Füßen verrottet, sei noch eine Frage zu stellen gewesen. Ungefragt hätte sie nicht sterben dürfen. Er denkt an hölzerne Gitterstäbe, die immer größer werden und fragt sich, ob es daran liegen mag, dass er immer kleiner wird. Dabei legt er seine Hände auf den kalten Stein und stellt sich vor, es wäre das alte Gesicht der Großmutter, aber es gelingt ihm nicht, die Augen richtig zu platzieren. Auch alle Falten wollen ihm an die falschen Stellen springen, die Nase hängt ihr mal zu weit oben, mal zu weit unten aus dem Schädel. Das erdachte Gesicht erscheint ihm als Geistesvorlage für seinen Dialog unangemessen. Er steht auf und schlägt sich mit der Hand auf die Knie, um den Kiesstaub abzuschütteln, aber die Flecken bleiben unübersehbar auf seiner Hose.

In der Kirche antwortet ihm ein glatt rasiertes Pfarrergesicht. Ein gewaltiges Doppelkinn schlackert beim Sprechen hin und her, als wäre ein kleines Lebewesen darin gefangen. Auch beichten wolle er, gibt Daniel zu, vielmehr jedoch erhoffe er sich die Wohnadresse der Verstorbenen zu erfahren. Auch ihr Gesicht will er beschrieben haben. Seine Hände suchen am Arm des Schwarzgekleideten Halt, der ihm von einer wunderbaren Frau berichtet, die gleich in der Nähe (er deutet ihm das Haus) gewohnt habe. Die Not, die diese bei Daniel verursacht haben soll, erscheint ihm unbegreiflich. „Wie kann es sein“, fragt das Pfarrergesicht, „dass du sie fürchtest, ohne sie gekannt zu haben?“ Daniel zerquetscht den Arm des Gottesdieners. „Eine gewisse Begebenheit in meiner Kindheit“, flüstert er. Aber mehr könne er nicht sagen. Er will fort, doch nun ist es plötzlich der Pfarrer, der seinen Arm hält. Sie umklammern sich beide, dabei ist doch nur einer auf der Flucht. „Nun sag doch, was geschehen ist“, dringt der Pfarrer in ihn, doch Daniel schlägt nach den fremden Händen und reißt sich los.

Am Haustor kauern die zwei Löwen aus Stein. Daniel steht davor und erinnert sich. Er ruft etwas herbei, was er immer zuvor fort haben wollte. Die Nacht hat alles schwarz gefärbt, nur der Mond hängt über der einsamen Straße. Für Sekunden sieht Daniel ihn an und glaubt etwas zu hören, bevor er zwischen den zwei Steinlöwen hindurch über die Mauer klettert. Er steht im Garten der Toten. Ungestutzte

Heckenrosen flankieren den Kiesweg und strecken ihre hölzernen Finger aus. Am Boden des Fischteichs glitzert Schlamm im Mondlicht. Daniel erinnert sich. Er kniet nieder und reißt einen Stein aus dem feuchten Erdboden. Wenige Schritte später wirft er ihn durch ein Fensterglas und schneidet sich an den Splittern im Rahmen. Er denkt an hölzerne Gitterstäbe. Sie werden so groß, dass er Angst hat, einmal nicht mehr sehen zu können, wo sie enden. Daniel macht Licht. Er glaubt, drei Köpfe gesehen zu haben, die im letzten Moment verschwunden seien.

Er steht im Vorzimmer und die Pendeluhr neben den Stiegen schlägt nicht mehr. Als er den Fuß auf die erste Stufe setzt, erscheint ihm das Knarren vertraut. Er denkt an drei Köpfe. Er findet den Lichtschalter nicht, um sie zu vertreiben. Auf jeder Stufe rastet er und klammert sich an das Geländer, legt seinen Kopf gegen die Tapete, atmet laut wie unter schwerer Anstrengung. Minuten vergehen. Als er den Dachboden erreicht, sieht er den Mond durch ein schmales Fenster leuchten. Daniel formuliert Worte. Seine Zunge führt Bewegungen aus, die kein Ziel haben. Er speit Laute in die Dunkelheit. Seine Schritte führen in eine Ecke, in der das Gitterbett steht. Er denkt an Stäbe aus Holz und legt seine Hand darauf. Zärtlich zuerst streicht er über die glatte Fläche. Dann wird seine Hand zur Faust. Seine Zunge schlägt in seinem Mund. Er kramt nach Worten, aber er kann sich an keines erinnern. Bald schon füllen seine Laute den Raum. Sie erinnern ihn an das Schreien eines Kindes. Er zieht seine Kleider aus, bis er ganz nackt im Raum steht und setzt einen Fuß ins Gitterbett. Die passenden Worte dafür findet er nicht. Als er den zweiten Fuß hinein setzt, hat er Angst, das Bett könne unter seinem Gewicht brechen. Aber es hält. Er steht zwischen den Stäben. Sein Körper ist ihm im Weg. Er kauert sich zwischen die Stäbe, während er immer wieder dagegen schlägt. Seine Schläge sind ohne Kraft. Er hat Angst, die Stäbe zu zerbrechen, zwischen denen er eingeschlossen ist.

Der Mond lacht ihm durch das kleine Fenster. Er zittert vor Kälte und hört, wie die Stiegen knarren. Er denkt an drei Köpfe. Die Laute aus seinem Mund erinnern ihn an das Schreien eines Kindes. Kleine Lichtkegel aus Taschenlampen spielen an der Wand als ob sie etwas suchen würden, während Daniel sich noch weiter zwischen die Holzstäbe drängt. Er verflucht die Größe seines Körpers. Er wünscht, er wäre weniger, vielleicht nichts. Wenn sich sein Brustkorb hebt, schwört er aus Zorn, nie mehr atmen zu wollen. Er speit Laute in die Dunkelheit, die wie Kindergeschrei klingen. An der Wand malen die Lichtkegel Zeichen. Draußen lacht der Mond.

Erde

Sie stand da, gebückt, mit einer Schürze um die schmalen Hüften und grub ihre dünnen Beine in die feuchte Erde. Es war das Kopftuch, das sie alt machte; wie sie mit ihrer Hand in die Schürze fuhr und etwas daraus in die feuchte Erde stieß. Ich stand so dicht hinter ihr – ich hätte sie berühren können. Stattdessen blickte ich auf sie wie auf eine Fremde: auf ihr wie festgefrorenes Lächeln im Gesicht und hörte ganz leise eine Melodie. „Heile, heile Segen“, sang sie, „morgen kommt der Regen.“ Etwas fiel von ihrer Hand in die feuchte Erde. Endlich bemerkte sie mich. Sie lächelte.

„Ich liebe die Hortensien“, sagte sie. „Muttertagsblumen.“ Sie hatte etwas in der Hand, das klein und weiß war. Vor meinen Augen stieß sie es in die Erde, während ihr Lächeln bei mir blieb. Ich roch die feuchte Erde, in der sie wühlte, die sie öffnete, die sie befruchten wollte, sah ihre Hand.

Ich fragte: „Mutter, was hast du in der Hand?“

Ihr Lächeln war noch immer hier. Wie weit konnte sie plötzlich ihren Kopf herumdrehen?

Sie sagte: „Man darf sie nicht abschneiden.“

Ich sah in die Schürze. Ihre Hand glitt wieder hinein. Wie war es möglich, dass ich aus diesem dünnen Mutterschoß heraus gekrochen war?, fragte ich mich damals. In der Schürze waren kleine weiße Kristalle. Ich packte ihre Hand.

„Mach auf!“, sagte ich.

Nie hatte ich sie so schreien gehört. Ihre Nägel krallten sich ins ledrige Fleisch. Hattest du gedacht, Mutter, dass jener, der an deiner Brust gesaugt hat, dir die Hand brechen könnte? Sie musste öffnen. Ich steckte den Finger in das weiße Pulver, leckte ihn ab.

„Es ist Salz, Mutter“, sagte ich.

Sie schloss die Hand. Ihr Lächeln blieb hier. „Heile, heile Segen“, sang sie und warf das Salz in die fruchtbare Erde.

Sie starb an einem Dienstag. Der Brief eines Notars konnte nicht lügen. Tage später stand ich wieder vor den Toren meiner Kindheit. Ich hatte gesehen, wie man ihren Körper langsam in feuchte Erde hinunter sinken ließ, wie das Schäuflein Erde, das ich auf ihr Gesicht hinter dem Glas warf, sie nie allein zu verdecken vermochte. Der Garten lag einsam vor mir und mit jedem Schritt hatte ich das Gefühl, eine gleichzeitig fremde und vertraute Welt zu betreten. Ich wusste, dass auf jedem Meter dieser feuchten, duftenden Erde ihre dünnen Beine gestanden waren. Konnte ich leugnen, dass jemand erst diese Schnur durchschneiden hatte müssen, mit der ich aus ihr gekrochen war? Hinter dem eisernen Tor war die Stelle, an der ich sie damals gesehen hatte. Die Hortensien, Mutters Blumen. Hatte sie erst sterben müssen, bevor ich sie blühen sah? Ich presste die schwarzen Knie des Beerdigungsanzugs in die Erde und berührte die blauen Blüten. „Heile, heile Segen“, wehte aus längst vergangenen Tagen in mein Ohr. Ich grub meine Hände in die Erde. Man darf sie nicht abschneiden, hörte ich ihre Stimme. Ich spürte die Erde unter meinen Fingernägeln, spürte, wie ich mich an irgendetwas schnitt. Blut tropfte auf den klebrigen Boden. Er dampfte heiß, als würde ich mit meinen Händen ein lebendiges Wesen öffnen. Tiefer, dachte ich, tiefer graben. Nichts verletzen, ich will die ganze Wurzel. Meine Hände waren Klauen, die den Untergrund zerrissen.

Ich hatte es zuerst nicht gesehen. Ich hielt die Pflanze fest mitsamt der Wurzel hoch wie ein Neugeborenes. Erst als ich das Erdloch sah, die Wunde, die ich gerissen hatte, bemerkte ich die graue Haut, die ich aufgedeckt hatte. Ihr Gesicht lag in der Erde. Ich sah ihre Augen – sie waren geschlossen. Ich sah ihre rissigen Lippen – sie waren stumm und leer. Die Hortensie, die ich mit der Wurzel ausgegraben hatte, war noch immer in meiner Hand.

„Mutter“, sagte ich und hielt sie vor ihre toten Augen, „nun wachsen sie. Siehst du? Sie wachsen.“

Sie würde die Augen nie wieder öffnen.

Marzipan

Wir saßen auf der Terrasse und rauchten Peter Stuyvesant meines Vaters. Alex sprach wenig, legte den Kopf auf die weiche Polsterung der Gartenliege und kam mir damals viel älter vor, als er tatsächlich war. Manchmal sehe ich ihn heute noch vor mir: die Augen geschlossen, die Zigarette senkrecht zwischen den Lippen und wünsche mir, er könnte noch immer hier liegen und sich die trockenen Lippen lecken.

„Kennst du Peck?", fragte er damals.

Er sprach leise, darum bemüht, es unbedeutend klingen zu lassen, doch er verriet sich, indem er sich umsah, als würde er nicht wissen, dass wir allein waren. Ich weiß noch, dass im gleichen Moment die Kirchenglocken in der Stadt zu läuten begannen und wir erschraken beide darüber, als hätte uns plötzlich jemand von hinten an der Kehle gepackt. Dann lachten wir beide über den Schrecken, husteten und ich sagte: „Nein. Wer ist das?" und stieß den Rauch gegen das Glockenläuten.

Wir verloren uns bald aus den Augen. Die Dinge änderten sich und wir machten da keine Ausnahme: Vater hatte aufgehört zu rauchen. Die Peter Stuyvesant mussten wir nun kaufen. Die Stimmung, wie wir sie damals an jenem Tag auf der Terrasse erlebt hatten, kam nie wieder und wir verabschiedeten uns ohne zu wissen, dass wir uns so lange nicht wieder sehen würden.

Am nächsten Tag war Alex fort. Er erschien nicht mehr in der Schule und ich führte lange Gespräche mit seiner Mutter. Sie fragte nach jedem Wort, das wir gewechselt hatten, nach jeder dieser letzten gemeinsamen Minuten und ich warf ihr Stück für Stück genau jene Geschichte vor die Füße, die sich nur in ihrem eigenen Kopf abgespielt hatte und die sie so dringend von mir hatte hören wollen. Sie war dankbar. Ich musste immer wieder kommen, musste ihr erzählen von Alex. Oft hatte ich das Gefühl, dass sie ihn gar nicht richtig kannte, dann wieder, dass ich von einem Fremden erzählte, der nie und nimmer Alex sein konnte und schließlich war ich mir selbst nicht mehr ganz klar darüber, was wirklich geschehen war an jenem Junitag. Ich ertrug es nicht länger, die heiße Tasse Früchtetee in der Hand zu halten, ihr vertrocknetes Gesicht anzusehen und ihr immer die gleichen Antworten auf immer die gleichen Fragen zu geben. Ich brach den Kontakt ab und sah sie nie wieder. Alex Mutter verschwand aus meinem Leben wie etwas, was nie zuvor da gewesen war.

Tage später hörte ich seinen Namen in einem Gespräch meines Vaters am Telefon. Ich kam gerade die Stiegen herunter ins Wohnzimmer. „Alex“, sagte Vater und sofort blieb ich stehen, wartete im Halbdunkel. Mein Vater hatte die Angewohnheit, sich beim Telefonieren zu bewegen. „Er tanzt“, hatte Mutter immer gesagt, als sie noch bei uns war und – wenn sie auch in den meisten Dingen Unrecht behalten hatte müssen – hier hatte sie Recht gehabt. Er stand vor dem Stromzählerkasten und machte Notizen. „Ja, ja, ich verstehe", sagte er, biss auf seine Unterlippe, wie er es immer tat, wenn er angespannt war, dann variierend: „Ich verstehe, ja, ja." Kritisch besah er seine Aufzeichnungen, tanzte mit dem Hörer hinüber zu seinem Schreibtisch und begann auf einem Taschenrechner zu tippen. Er verglich die Abrechnung und schüttelte dabei den Kopf, obwohl er kontinuierlich: „Ja, ja" und „Verstehe, verstehe" sagte. Ich wusste sofort, dass seine Tätigkeit nichts mit dem Telefonat zu tun hatte.

Dann hielt er inne. Seine Stimme unendlich genervt: „Liebe Frau", sagte er, „ich kann Ihnen wegen dem Alex doch auch nicht mehr sagen als mein Sohn Ihnen schon ... nein, liebe Frau, mein Sohn lügt Sie bestimmt nicht an ..."

Und schließlich fiel ein Name: Peck. Ich weiß noch, dass ich auf den kalten Stufen saß und meinen Vater sah, wie er begann, weiter zu rechnen und er dann plötzlich inne hielt, als er diesen Namen aussprach. Es hörte sich an, als würde er die Worte, die aus dem Telefonhörer kamen, wiederholen.

„Peck", sagte er. Seine Stimme kaum mehr als ein Flüstern. Er legte den Taschenrechner beiseite, hörte auf zu rechnen, hörte auf, die Stromabrechnung mit seiner eigenen Kalkulation zu vergleichen: hörte überhaupt alles auf, sogar das Stehen. Er fiel in einen Stuhl, als hätte man ihm die Beine gebrochen und griff sich mit der Hand an die eigene Kehle.

„Peck“ war auch der Name an jener Türklingel, die ich Jahre später drücken sollte. Ich hatte zu studieren begonnen und Vater war alt geworden, lag mit blinzelnden Augen auf dem Sofa, wenn er nicht beim Lesen einschlief und seinen Kopf unter dem Wirtschaftsblatt begrub. Er sprach nicht mehr viel und niemand hatte etwas dagegen.

Als ich das Wohnzimmer betrat, nahm er die Zeitung von seinem Kopf. Das letzte, was von seinen Haaren geblieben war, war ein hauchdünner, gekräuselter Haarkranz. Er sah mich an und biss sich dabei auf die Unterlippe. Ich wurde misstrauisch.

„Peck“, sagte er. „Peck hat angerufen.“

Ich sah nicht ihn an, sondern seine ungleichmäßige Nase. Sie war über Nacht noch stärker an der linken Seite geschwollen, gerötet, eitrig und stand ihm deshalb noch aufdringlicher als gewöhnlich aus dem Gesicht. Ich wusste, dass er sich dafür schämte, öffnete die Tür einer beleuchteten Minibar ohne den Blick von seinem entstellten Gesicht zu nehmen.

„Einen Whisky, Vater?“

Er lachte. Ja, sagten seine alten Augen. Ja, ja, bitte. Ich gab ihm keinen, ich sah nur seine Nase und trank umso eifriger.

„Was will er?“, fragte ich.

„Ich wusste nicht, dass ihr schon so gut befreundet seid“, gab Vater stattdessen zur Antwort. Seine Stimme klang mürrisch wie schon die letzten Jahre über. Ich kannte dieses faltige Kinn, diese kleinen Augen, die immerfort zwinkerten, diese raue zerbissene Unterlippe. Dabei war nicht ich es gewesen, der ihm den Whisky verboten hatte.

„Was er will, hab ich gefragt."

Vater sah mich an. Ich wusste, wenn er jünger gewesen wäre und nicht dieser alte, hagere Mann mit der eitrigen Nase, der sich unter dem Wirtschaftsblatt verstecken musste, hätte er sich wohl zu helfen gewusst. So aber sah er mich bloß an mit Augen, die immer nur: „wenn, wenn, wenn" sagen konnten, und das half ihm hier und in Zukunft nichts mehr. Das einzige, was ihm noch geblieben war, war die Frechheit. Das war seine Waffe.

„Hör auf mich.", sagte er. „Du brauchst Peck nicht. Du hast doch alles. Denk an Alex!"

Alex. Vaters Augen verrieten, dass er diesen Namen nicht sagen hatte wollen, nicht sagen hätte dürfen. Er sah mich an, die Schuld tropfte aus seinen Augen, aber sie rang noch mit der Frechheit in ihm und ich war nicht sicher, welche von beiden gewinnen würde. Alex.

„Peck hat Alex doch nur geholfen", sagte ich. Was sollte ich sonst sagen?

„Geholfen!", schrie mein Vater, als hätte ich ihn bereits mitsamt dem Sofa umgekippt, ihn an seinem Hosenbund gepackt und in die Badewanne gesetzt. Ich sah ihm nur auf die eitrige Nase und endlich wurde er einsichtig. Sein zuckendes Kinn verriet, wie die Frechheit immer kleiner wurde. Dann schloss er die Augen. Ich sah wie etwas in seinem Gesicht glänzte, als er sich das Wirtschaftsblatt wieder auf den Kopf legte. „Er hat dich eingeladen“ hörte ich ihn darunter sagen. Seine Stimme klang verheult. Es war einer der schönsten Momente meines Lebens.

Ich traf Alex wieder. Als ich die Klingel mit Pecks Namen drückte, wusste ich noch nichts davon, dass ich den besten Freund meines Lebens an diesem Tag nach so langer Zeit wieder finden würde. Doch ich wusste auch noch nichts darüber, dass dieselbe Zeit ihn mir schon wieder genommen hatte, als ich ihn in die Arme schloss.

An der Tür nahm man mir den Mantel ab und noch bevor ich mir darüber klar wurde, stand ich bereits mit einem Whisky an der Bar und blies den Rauch meiner Peter Stuyvesant ins Glas. Neben mir hörte ich eine Dame, der die Zeit lang wurde.

„Haben Sie Feuer?“, fragte sie. Sie rauchte Parisienne Mild und zerquetschte den Filter mit hauchdünnen Fingern. „Peck ist ein herrlicher Gastgeber, finden Sie nicht?“

Ich bestellte noch einen Whisky. Der Barmann eröffnete mir, dass ich nicht zu zahlen brauche. „Neue Order“, sagte er. „Von ganz oben.“ Er fragte auch, ob ich den ersten bezahlt hätte und ich sagte: ja. Er gab mir den Betrag zurück. Es war ein seltsamer Tag.

„Besonders die Desserts hier ...“, sagte die Dame neben mir. Ich wusste nicht, was erwidern. Der Whisky war herrlich.

Wie es genau kam, weiß ich nicht mehr. Plötzlich war er neben mir. Ich hatte ihn seit fast einem Jahrzehnt nicht mehr gesehen. Vielleicht waren es die Peter Stuyvesant, an denen ich ihn zuerst erkannte. Er legte sie an der Theke ab, direkt neben meine und wir bemerkten den kleinen Zufall beide zur gleichen Zeit und blickten uns an. Es war Alex, keine Frage. Ich erkannte ihn: seine bübischen kleinen Augen, sein helles Haar und seine schmalen Lippen, zwischen denen nun, wie bei unserem letzten Treffen, wieder eine Peter Stuyvesant steckte. Er trug einen teuren weißen Anzug, weißes Hemd, dazu schwarze Fliege, in seiner Hand ein Whisky, in den er seinen Rauch blies. Wie ich, dachte ich. Er gab mir die Hand und hielt mich mit der anderen an der Schulter.

„Alex“, sagte ich. Ich sah in sein Gesicht, in dieses Bubengesicht, das keines mehr war und wusste nicht, was sagen. „Du bist hier.“

Er lachte etwas verlegen, sah sich um wie damals, als er zum ersten Mal von Peck gesprochen hatte.

„Du hast meiner Mutter nichts gesagt“, begann er. Genau das waren seine ersten Worte nach all den Jahren. „Dafür danke ich dir.“

„Es war schwer“, antwortete ich. Natürlich wollte ich nicht von seiner Mutter reden. Ich hatte Angst, dass er nach ihr fragen könnte, wenn wir weiter von ihr sprachen. Wusste er, dass sie tot war?

Aber Alex fragte nicht. Er sagte: „Peck ist wie ein Vater. Ich verdanke ihm alles“ und sah mich dabei nicht an. Etwas in seinem Gesicht war anders geworden. Vielleicht hatte sich das Bild von ihm durch die Gespräche mit seiner Mutter verändert. Plötzlich hatte ich das Gefühl, ich hätte sie nie anlügen dürfen. Vor mir sah ich ihr Gesicht, das hündisch nach jedem Wort schnappte, das ich ihr vor die Füße warf. Wenn sie eines hatte, würde sie es nie wieder für ein schlechteres hergeben. Ich blickte auf Alex, der neben mir rauchte und den Rauch ins Glas blies. Er drehte sich am Barhocker um und sah mit aufgestützten Ellenbogen in die Runde.

„Du hättest schon viel früher kommen sollen“, sagte er und sah mich an. Dabei legte er seine freie Hand auf meine Schulter und ich bemerkte die kleinen Härchen auf der fast weißen Haut und erinnerte mich an früher. Er sprach weiter. „Ich habe Peck von dir erzählt - schon vor Jahren. Aber ich weiß ...“ Er nahm seine Hand weg. „... dein Vater ...“

Ich dachte an den alten Mann, der auf dem Sofa lag. Ich dachte an das Wirtschaftsblatt, an den Whisky, den er nicht trinken durfte, an Peter Stuyvesant auf der Terrasse.

„Wusstest du, dass sie miteinander studiert haben?“, sagte Alex. Ich sah sein Lächeln hinter der schmalen Linie aus Rauch. „Sie waren Freunde.“ Er sah mich an. Ich spürte seine dünnen weißen Finger auf der Haut. „Wie wir.“, fügte er hinzu und begann zu lachen. Ich wusste nicht, ob ich mitlachen durfte.

Peck erschien nicht an diesem Abend. Vielleicht wäre alles anders gekommen, wenn wir uns kennen gelernt hätten. Als die Dame neben mir davon hörte, wollte sie gehen. Sie hatte sich viel erwartet und viele dachten wohl ähnlich. Erst die Eröffnung des Buffets konnte sie daran hindern. Ich blieb mit Alex an der Bar sitzen ohne einen Gedanken an kalte Nahrung zu verschwenden. Wir bestellten noch einen Whisky. Niemand musste bezahlen. Alex sagte, dass er das veranlasst habe. Auf Pecks Wunsch. Peck war großzügig, sagte er.

Als die Menschen begannen, kaltes Fleisch auf Teller zu stapeln und der Lärm ein unerträglicher wurde, nahm mich Alex an der Hand und führte mich zu einem Balkon. Er schloss die Flügeltüren hinter sich und wir waren allein. Plötzliche Stille. Die ganze Zeit über schon hatte ich das Gefühl, dass er mir etwas Wichtiges zu sagen hatte.

„Deine Einladung“, sagte er, „habe ich geschrieben. Du sollst teilhaben.“ Und als ich noch immer nichts erwiderte: „Du sollst zur Familie gehören!“

Sofort dachte ich an das Haus meiner Eltern, an meinen alten Vater auf dem Sofa. Vielleicht erahnte ich in diesem Moment bereits ein winziges Stück davon, warum mein Vater nicht gut auf Peck zu sprechen war. Aber es war zu klein, ich konnte es nicht greifen, es rann zwischen meinen Fingern durch wie Sand und ich sagte: „Was meinst du damit?“ und hatte das Gefühl, als hätte ich bereits zugestimmt.

„Du hast es leicht ...“, sagte Alex, „... was hast du schon zu verlieren.“ Er sagte es, als würde er genau wissen, was ich die ganzen Jahre über seit unserem letzten Zusammentreffen getan hatte. Was, wenn ich etwas zu verlieren hatte, dachte ich, aber er sprach einfach weiter, hielt mich fest mit seiner

Hand an der Schulter und sagte: „Du weißt, wie das damals war mit meiner Mutter. Du kennst den Ablauf. Man kann nicht Schach spielen ohne Figuren zu opfern."

„Sie ist tot, Alex", sagte ich. Wir standen auf dem Balkon in der Nacht. Über uns leuchteten Sterne wie sonst nie, unter uns Pecks Garten, beleuchtete Wege, eine Gartenlaube und Alex antwortete nichts darauf. Ich spürte seine Hand auf meiner Schulter, die feingliedrigen Finger, die mir fast zärtlich über die Haut strichen. Es war wie damals. Wir waren Freunde. Ich merkte, wie seine Hand zitterte.

„Ich weiß", sagte er. „Ich weiß." Nie werde ich vergessen können, wie sich seine Hand anfühlte. Alex´ Hand im weißen Anzug mit goldenen Knöpfen, goldener Uhr, aber es war noch die gleiche Hand, die damals die Peter Stuyvesant in den Mund mit den großen Vorderzähnen steckte. Ich hatte das Gefühl, dass da noch mehr war: das vertrocknete Hundegesicht, die Kanne Früchtetee mitten im Juni, eine einsame Pendeluhr, die die Zeit zertickte und ich sagte: „Deine Mutter, Alex ...", aber als ich sah, wie er sein Gesicht zu mir herdrehte und mich ansah, fiel mir kein Ende zu diesem Satz mehr ein. „Vergiss das Frühere", sagte er: „Vergiss alles, was früher war. Du gehörst nun zur Familie."

Genau die gleiche Hand, die mir die erste Zigarette meines Lebens entzündet hatte, schob mich wieder hinein ins Haus. Die Menschen hatten gegessen. Der Buffet-Tisch war beinahe leer. Alex nahm zwei Gläser und füllte sie mit Sekt. Er lächelte und sagte: „Nenn mich Roland!", und ich weiß noch, wie ich dastand und nicht wusste, was ich darauf entgegnen konnte. Ich hielt das Glas Sekt in der Hand und die Kohlensäure prickelte auf meinem Gesicht, stieß mit ihm an und nannte ihn „Roland“.

Dann tranken wir, während andere Gäste mit ihren goldenen Knöpfen und kristallenen Gläsern an uns herantraten. Alex stellte mich vor. Er sagte „Thomas“ zu mir und ich nickte jedes Mal dabei, als wäre das tatsächlich mein Name.

Vielleicht, wenn die Dinge anders gelaufen wären, würden Alex und ich heute noch immer Peter Stuyvesant rauchen, vielleicht genau dort am Balkon, in der würzigen Nacht auf die Gartenlaube blicken und glücklich sein. Wir würden Peck „Vater“ nennen und unsere eigenen Eltern vergessen haben. Man hätte mir die Augen verbunden und ich würde dankbar darum bitten, das Tuch doppelt zu schlagen. Doch genau in dem Augenblick, als ich glaubte, dass nun alles so war, wie ich es immer gewollt hatte, ging das Licht aus im Saal. Ich spürte, wie mich etwas streifte, ich hörte ein Quietschen wie von Rädern. Dann wieder Licht. Ich begriff noch nicht, warum die Menschen klatschten, warum sie diese „Aah“- und „Ooh“-Laute ausstießen. Bis ich es sah: Auf dem Buffet-Tisch neben uns lag ein nackter Mensch auf dem Rücken. Um ihn herum Sprühkerzen. Ich wusste, er war nicht echt. Es war ein perfektes Kunstwerk: ein Menschenkörper aus Marzipan. Ich sah den Haarkranz auf seinem kahlen Schädel mit den hauchdünnen, gekräuselten Haaren, ich sah auf das faltige Kinn und hatte Angst, es könnte anfangen zu zittern, wenn ich etwas Falsches sagte. Ich konnte nicht anders: Ich musste diesem Marzipanmenschen in die Augen sehen, aber sie zwinkerten nicht, dabei wusste ich doch: sie konnten es nicht - sie waren aus Zucker. Ich sah die gelbe, eitrige Schwellung am linken Nasenflügel, die nie richtig verheilt war, ich sah die Zähne – jeder einzeln angefertigt aus Zucker – die auf die Unterlippe bissen und fühlte plötzlich, wie das Glas Sekt in meiner Hand zitterte. Ich konnte es nicht ruhig halten, es bewegte sich, ich verschüttete Flüssigkeit. Ich sagte: „Es tut mir leid“, „Es tut mir leid“, doch ich sah dabei das Marzipan an. Dann fiel das Glas zu Boden.

Ich erinnere mich noch, wie Alex mich ansah. Er sagte: „Ruhig, ruhig“ wie ein Tierarzt, der einen kranken Hund einschläfern muss. Ich spürte seine Hand, doch es waren nicht die Finger, die ich spürte, sondern ein Messergriff, den er mir in die Hand drückte. „Thomas, komm schon“, sagte er. Er nahm die Hand nicht weg, führte mich - führte das Messer in meiner Hand.

Ich habe seither Alex nie wieder gesehen, den Namen „Peck“ nie wieder gehört. Ich öffne die Tür zur Terrasse. Ich sehe meinen Vater im Liegestuhl. Er schläft im Nachmittagsschatten unter der großen Birke. Ich höre ihn ruhig atmen, aber ich decke ihn trotzdem zu. Ich will nicht, dass er friert.

Knochendenker

K. ist 42. Er spricht wenig, doch er meint es nicht so, denn gäbe es ein Ohr für ihn, würde er schon sprechen. Es gibt aber keines, nicht für K. Alle Ohren laufen weg von ihm, verschwinden in Gassen, hinter Fenstern oder Gesprächen mit anderen, so, als wären sie Spezialisten dafür und als wüssten sie immer, wo sich die Türen, die nach außen hin keine Schnallen haben, befinden.

Er ist allein, aber nicht so wie du und ich allein sind, er ist „alleiner" als wir. An Tagen, an denen ihn der blaue Himmel wie an einer Leine aus der Wohnung zieht, tritt er an Schaufenster heran, ganz nah, damit er sein eigenes Auge sehen kann. Er läuft durch die Gassen wie ein Verirrter, der nie anders als verirrt sein kein, weil jeder Schritt, den er auf den Asphalt setzt eine kleine Verirrung ist und sonst nichts.

K. ist verrückt, sagen die Meisten, doch die allermeisten sagen das, was die allermeisten immer sagen: Sie sagen nichts. Nie darf man die eigene Unwichtigkeit unterschätzen, weiß K. Sein Vater hat gesagt, dass die meisten den allermeisten egal sind. Der wohnt nun unter ihm, unter allen und Erde deckt ihn zu. K. stellt sich manchmal vor, wie er nun aussieht, weil er nur die Erinnerungen an den lebenden Vater hat, den toten kennt er nicht. Der Pfarrer hat ja den Deckel auch nicht wieder aufgemacht, niemand hat ihn aufgemacht, sie sind ja nur herumgestanden um das schwarze Holz und niemand hat wirklich daran gedacht, dass da ein Gesicht drinnen steckt. Drei Tage sind vergangen seither. K. stellt sich vor, wie jetzt das Gesichtsfleisch seines Vaters verrotten muss und seine starken Wangenknochen frei liegen werden. Wie lange dauert es, bis der Tod den Lebenden entstellt hat, bis der Kopf zum Schädelknochen wird, den man so leicht mit einem anderen verwechseln kann wie zwei Steine? K. denkt an die Knochen. Er möchte gerne alle Toten nebeneinander legen und die Knochen vertauschen, die Oberschenkelknochen vielleicht, damit keiner mehr sagen kann, wem welcher gehört, damit endlich alle gleich sind, oder alle Knochen aufeinander türmen zu einem riesigen Berg. Er stellt sich vor, er würde darauf steigen und die Knochen aufheben und vermischen, den ganzen Tag, vielleicht das ganze Leben würde er nichts anderes machen, als mit den vielen tausenden Knochen spielen, sie anprobieren, ob sie diesem oder jenem Skelett passen. Dann würde er einen, vielleicht einen Fuß mit ein paar Zehenknochen daran, nehmen und an seinen eigenen halten und würde lachen, weil er ihm passt und er könnte ihn vielleicht vertauschen, wenn sein eigener Fuß nur noch Knochen wäre.

K. lacht und geht weiter an diesem freundlichen Tag und denkt, dass er seinen Vater immer geliebt hat und dabei bleibt sein Mund ein wenig zu lange offen. Er merkt, wie einige Augen auf den Speichelfaden blicken, der zwischen seinem Vorderzahn und seiner Unterlippe hängt. Dann steht er bei einer Kreuzung und das Rot erscheint ihm wie eine Befreiung von einer Last. Mit ihm stehen Männer und eine junge Frau, die ihm gefällt und er sieht ihr ins Gesicht und muss an Vaters Wangenknochen denken. Ihm gefällt ihr Haar, das sich über ihr Ohr legt, es zudeckt und sich leicht im Wind bewegt. Die Spitzen ringeln sich dabei hinein, in die Ohrmuschel, als wollten sie hineinkriechen. So will ich, ich will hineinkriechen, denkt er, in dieses Ohr und fasst schon hätte er die Hand bewegt, aber es wird grün und alle beginnen zu gehen. K. beginnt auch zu gehen, aber das Mädchen mit den Ohren ist weg.

Man kann nicht einfach stehen bleiben, sagt der Knochenkopf mit den starken Wangenknochen seines Vaters unter der Erde, der seine Haut verliert. Und K. geht weiter, über die Kreuzung. Da ist ein Platz mit hunderten Tauben wie auf dem Markusplatz in Venedig. Er hört das Gurren der grauen Vögel mit den riesigen Augen, die nach den kleinen Brotkrümeln lugen. Eine sitzt einem Kind auf der Schulter und frisst ihm Krümel aus der Hand, bis die Mutter kommt und sie wegscheucht. „Verschwinde!“, ruft sie und streicht ihrem Kind die Federn von der Jacke. Dabei blickt sie auf K., weil K. steht hinter ihr. Steht er zu dicht hinter ihr?, er weiß es nicht, aber sie lächelt etwas, wenn auch verlegen und nimmt ihre Hand nicht von dem Kind. Sie muss etwas sagen, wenn sie mich so ansieht, denkt K. und wirklich: Sie sagt etwas. „Man wird sie nicht mehr los!“, sagt sie zu K., der dicht hinter ihr steht, „hat man sie einmal gefüttert, kriegt man sie nicht mehr los!“ Der Wind hat ihre Haare verweht. Sie streift sie zurück und K. sieht ihr Ohr. Er kann nirgends anders mehr hinsehen als auf ihr Ohr, aber ihr Ohr ist es nicht gewöhnt, so angesehen zu werden, nein: sie ist es nicht gewohnt, sie fühlt sich nicht wohl, aber wohin sollte K. denn sehen, wenn ihn sonst nichts interessiert?

Auch auf K. landet nun eine Taube, dabei hat er gar kein Brot. Direkt auf seiner Schulter gurrt sie. Er hockt sich hin zu den hunderten Tauben und streichelt die Taube auf seiner Schulter. Da gurrst du, denkt K., da gurrt ihr alle. Sie umringen ihn, die grau-hässlichen Vögel. Sie pickt ihm auf den Kopfhaaren herum und frisst die anstatt. Ihn sieht die Mutter an mit dem Kind und da schlägt K. plötzlich nach der Taube, die ihm auf der Schulter sitzt. Alle flattern sie auf und scheißen weiß-grau auf den hübschen Platz. „Warum hat er das getan?", fragt sich das Kind. „Warum hat er das getan?", fragt sich die Mutter, doch sie sagt: „Er ist verrückt."

Die Taube auf seiner Schulter hat K. gut erwischt. Er hat das von seinem Vater geerbt: der war auch schnell mit der Hand – wie ein Blitz. Die Tauben sind alle aufgeflogen, nur eine hinkt und der Flügel hängt ihr etwas schief herunter. Da gurrst du, denkt K. und sieht sie an, du wirst nicht mehr fliegen, aber er denkt an sein eigenes Gesicht dabei.

Die Mutter ist weg, als er aufsieht. Dann landen die Tauben wieder neben ihrer hinkenden Schwester. So dumm seid ihr, denkt K., aber er steht auf, denn es beginnt zu regnen. Ihm fallen die Wassertropfen auf den Kopf und er beginnt zu lachen dabei und reißt den Mund auf, dass ein paar Tropfen ihm in die Kehle fallen. Er stellt sich vor, dass irgendwo dort oben ein Gott sitzt und auf diese Stadt herunter spuckt. Bald wird ihm kalt. Schon staut sich das Wasser in großen Pfützen mit Taubenfedern und weiß-grauem Kot. Er geht die Straße weiter und lässt sich von seinem Gott auf den Kopf spucken. Die Menschen sind weg, nur einer steht noch da vor ihm in der kaltnassen Gasse.

Seine Kleidung ist nass, verdreckt, aber der Fremde steht nur da. K. steht schon direkt hinter ihm, so, wie er immer plötzlich hinter den Menschen steht. Er denkt an das Gesicht mit den Wangenknochen unter der Erde und tippt dem Fremden an die Schulter, bis der sich umdreht. Er hat einen Mantel an, der völlig durchnässt ist. K. sieht seinen Hals, seine Ohren und Haare, überall fette Haare, dass man nicht sagen kann, was Bart- und was Kopfhaar ist. Seine Lippen sind dünn, rissig, blass, aber er leckt sie ständig, seine Augen gerötet, gelbstichig, groß, als fänden sie zuwenig Platz in den Höhlen. K. fühlt sich, als würde er durch das Schaufenster sehen und seine Nase ganz nah daran pressen, damit er sein Auge sehen kann. Der Fremde lacht und K. lacht auch. Siehst aus wie ich, denkt K. und presst die Luft aus beiden Lungen, als er ihn umarmt. Er hält ihn ganz fest, denn er freut sich, sodass er jeden Knochen spüren kann. Sogar die Augen schließt er und fährt dem Fremden mit der Hand über den Rücken hinauf, berührt den Hals. Er spürt die Halswirbelknochen des Fremden und legt auf jeden einen Finger. Da passiert es: K. lässt den Fremden los und sein

Lachen bleibt in seinem Gesicht stecken. Dann blickt er auf seine Hand. Da ist ein Stück Papier drauf, das wie Haut aussieht. Es ist aus dem Hals des Fremden. Es ist feucht und klebt ihm am Finger. Was ist denn, denkt K. und muss immer auf das nasse Papier sehen. Dann greift er wieder nach dem Fremden und drückt mit dem Zeigefinger auf den Mantel. Das Papier zerreißt und der Mann hat ein Loch. K. sticht noch einmal hinein, dort wo das Herz ist. Er bohrt seinen Finger hinein, das Papier zerreißt. Er nimmt beide Hände und fasst mit beiden hinein in den Mann. Jetzt hab ich dein Herz, sagt K. als er seine Hände wieder heraus nimmt. Der Regen hat den Mann durchweicht. Ihm zerrinnt sein Gesicht, seine Augen rinnen ihm herunter über die Wangen. Am Boden liegt der Mantel in Fetzen, die Farbe seiner Haare tropft darauf. K. drückt ihm die Augen aus und holt sie sich auf seine Hand. Er lacht dabei. Dann fährt er ihm mit den Fingern in die Nase. Die Nase zerreißt. „Hab dein Gehirn!“, schreit K., aber dann fällt der Fremde zusammen im Regen. Das Wasser knallt ihm auf den Leib, sein Gesicht liegt auf den Fetzen seines Mantels, alles vermischt sich, alle Farben rinnen ineinander. Hab die Haut, denkt K. als er sich bückt und ihm den Papierfetzen vom Rücken reißt. Er hält die Haut wie eine Trophäe gegen den Himmel und denkt an seinen Gott, der auf die Stadt spuckt. Dann zerfällt auch der Rest. Die Beine sind aufgeweicht. Ohne Haut kannst du wohl nicht, denkt K. Er freut sich. Er greift in den Matsch aus Papier und Farbe und schmiert sich damit ins Gesicht. Dann öffnet er seine Hose und beginnt, im Regen zu onanieren. Als er kommt, fällt sein Samen auf den nassen Papierhaufen vor sich. K. kann nicht mehr erkennen, was Auge, was Arm, was Ohr gewesen ist. Es ist alles eins. Der Regen fällt auf K.s Unterleib. Er zieht seine Hose rauf und blickt auf den Papiermatsch, auf dem sein weißer Samen weggespült wird. Wie ein Lebewesen bewegt er sich, wie eine Schlange läuft er durch die Fugen im Asphalt und verschwindet schließlich in einem Kanalgitter. Dann beginnt K. zu weinen.

R wie Rabe

Ich weiß noch, dass mir sein Gesicht an diesem Tag viel älter vorkam. Als sich seine Lippen zu einem Lächeln formten, dachte ich an einen Felsen, durch den langsam ein Riss geht. Seine Hand zitterte leicht, als er sie mir gab, was unüblich war. Dabei drückte er meine kleinen Finger zusammen, als würde er den Schmerz, der ihm im Gesicht stand, aus denselben herauspressen können. Kleine geplatzte Adern waren aus seinen Pupillen geschossen und durchdrangen das Weiß seiner Augen wie die Strahlen einer blutigen Sonne. Das Lächeln war „seelenreißende“ Lüge. „Kleiner Bruder“, hörte ich ihn sagen. Es erinnerte mich an das Geräusch, wenn Fingernägel über nackten Stein streichen. Er legte seine Hand auf meinen Kopf wie so oft, nur dass er vergaß, mir durchs Haar zu fahren. Ich war zwölf.

Abends sah ich seinen schweren Körper allein im Dachzimmer. Ich trat ein. Der Schein einer einzelnen Schreibtischlampe entstellte sein Gesicht zu riesigen Schatten an der kahlen Wand. Als er mich bemerkte, schrak er hoch. „Du bist hier“, sagte er. Seine Stimme erinnerte mich an das Krächzen eines Raben. „Was machst du?“, fragte ich. Ich wusste nicht, ob ich Licht machen durfte. Jetzt wo er sich von der Lampe weggedreht hatte, konnte ich sein Gesicht im Dunkeln nicht mehr sehen. Unsicher hielt ich deswegen meine Finger am Lichtschalter und wagte nicht, ihn zu betätigen. Er antwortete nicht. Mit einer Bewegung, die mir unendlich langsam erschien, legte er den Kopf in seine offenen Hände. R wie Rabe, dachte ich plötzlich.

Erinnerungen: Seine Worte: „R wie Rabe“ Dabei ließ er das „R“ eine Ewigkeit rollen und ich tat es ihm nach, was mir von Tag zu Tag leichter fiel. Er war ein guter Lehrer. „Rabe“, sagten wir schließlich gleichzeitig und krächzten rabengleich in kindlicher Leichtigkeit.

„Kleiner Bruder“, sagte er, als ich näher kam und sein Gesicht wieder zum verzerrten Schatten an der Wand wurde. Er nahm meine Hand und wieder drückte er meine kleinen Finger so fest, dass sie weh taten. Er ließ nicht mehr los. „Wärst du traurig, wenn ich sterbe?“, fragte er.

Er sei bereits dort gewesen, sagte er. Die ganze Zeit über habe er überlegt, doch es gäbe keinen sichereren Platz. Kein Zweifel, sagte er. (Er sagte es immer wieder.) Gestern sei er mit dem Auto ganz nahe zugefahren, bis die Stoßstange den Beton berührt habe. Er wisse schon, was er tue, sagte er und wich meinem Blick aus, er habe das auf der Universität gelernt. Ob ich mir denn vorstellen könne, wie stabil diese Tunnelmauern seien. Kein Zweifel, sagte er wieder, er habe es berechnet: die Geschwindigkeit. Bereits mit 70 Stundenkilometern wäre nichts zu machen. Er werde aber schneller fahren, sagte er und starrte für einen Moment stumm auf die Tischplatte vor sich. Außerdem würde er sich abschnallen.

Ich sah, wie er eine Mappe vom Schreibtisch nahm und sie aufschlug, als hätte er sie schon tausend Mal aufgeschlagen. Darin waren Fotos: Körper, die aussahen wie Menschen in zerquetschten Fahrerkabinen, darunter Beschriftungen. Er deutete auf die letzte. „Aufprall bei 120km/h“, stand darunter. Der Körper war eben dabei, mit dem Kopf voran durch die Windschutzscheibe zu brechen. Ich merkte, wie der Blick meines Bruders starr wurde, seine Augen nur auf dieses Foto sahen. Wir wagten beide nicht zu atmen. Das heiße Licht der Lampe entstellte seine Gesichtszüge dabei zu noch größeren Schatten an der nackten Wand. Sekundenlang sog er wieder Luft ein. „Und hier ...“, sagte er unendlich langsam, während er seinen dicken, fleischigen Zeigefinger auf eine Stelle außerhalb des Fotos legte, „... hier wird die Mauer sein.“

In jener Nacht hatte ich einen Traum. Ich sah, wie meine kleinen Beine Schatten auf der Wiese warfen, als ich lief. Über mir stand die Sonne wie ein heißes, feuriges Auge. Summend tummelten sich Fliegen am Schweiß meiner Haut und tauchten ihre Rüssel in die Tropfen, sobald diese aus meinen Poren platzten. In beiden Händen hielt ich ein Stück Seife, das ich umklammerte, als würde es ein Leben retten können. Dann sah ich den Wald. Nichts würde mich aufhalten, dachte ich. Nichts würde mich diese Seife verlieren lassen. Ich dachte, die Äste der Bäume wären kleine Finger, die nach mir griffen, also hielt ich sie noch fester. „Jemand muss ihn waschen!“, rief eine Stimme plötzlich. Es hörte sich an wie eine Klage. „Der Schmutz!“ Die Stimme kam von einer Frau. Ihr Körper war über einen Liegenden gebeugt. Ich sah, wie sie versuchte, ihn mit ihrem Kleid zu bedecken. Überall waren

Fliegen. Neben ihr bemerkte ich einen alten Mann, der einen Spazierstock in der Hand hielt. Immer wieder stieß er damit gegen die leblose Hand des Liegenden. „Steh auf!“, rief er. „Steh auf, du Erbärmlicher! Hab ich dich gezeugt, damit du hier zusammenfällst?“ Er machte sonst keine Bewegungen. Das Klopfen mit dem Stock war das Einzige. Dabei sah er nicht auf den Liegenden, sondern zu Boden. Tränen liefen aus seinem Gesicht, obwohl sein Gesicht starr wirkte, als wäre es aus Holz.

Sie entdeckten mich. Ihre Gesichter waren so weiß und leer, dass sie mich nur an jemanden erinnerten, den ich einst gekannt hatte. Nun schien es mir unmöglich, ihnen Bedeutung zu geben. Als die Frau aufstand und ihr Kleid den Körper nicht mehr verdeckte, erkannte ich in dem Liegenden meinen Bruder. Auf seiner weißen Haut tummelten sich Fliegen und andere Insekten zwischen Blättern und Baumnadeln. Ich sah wie Ameisen sich auf seiner Stirn tummelten. Seine Augen waren offen. Er schien ins Nichts zu starren, doch als ich näher an ihn herantrat, fixierte er mich. Wie hypnotisiert hielt ich ihm die Seife hin. „Wasch ihn, wasch ihn!“, rief die Frau neben mir. Der Mann hatte endlich aufgehört, mit dem Stock gegen die Hand meines Bruders zu stoßen. Dort, wo er sie getroffen hatte, färbte sich die Haut schwarz. Es schien, als würde er nachdenken. Dabei wechselte sein Blick zwischen seiner Frau und meinem Bruder: „Siehst du noch Ähnlichkeit? Wie hässlich er schon ist“, sagte er. Mit gellendem Schrei warf sie den Kopf zurück und riss sich mit beiden Händen Haare vom Kopf, die sie zu Boden warf. „Gib die Seife!“, schrie sie mich an und blickte dann mit flehenden Augen zu ihrem Mann. „Wirst sehen, er wird sauber werden. Wirst sehen.“ Die Seife war noch immer in meiner Hand. Ich blickte auf meinen Bruder und sah, dass sein Körper in erschreckendem Ausmaß mit Schmutz überzogen war. Dann warf ich die Seife mit aller Kraft von mir.

Als ich mitten in der Nacht aus dem Traum hoch schreckte, hörte ich meinen Atem, als würden Steine aneinander reiben. Unter der Decke, die ich zurück warf, stank es nach Schweiß. Noch immer sah ich den nackten, verschmutzten Körper meines Bruders vor mir und für einen Moment glaubte ich, ich hätte die Seife noch in der Hand und erschrak darüber so stark, dass mir der Herzschlag aussetzte.

Ich machte Licht. Augenblicke später hörte ich das Läuten des Telefons.

Ich dürfe nicht mit, sagten sie. Sie müssten nun ohne mich weiter. Sie sagten nicht, wohin. Die ganze Zeit über hatte ich das hässliche Schrillen des Telefons im Ohr. Ich roch das Holz im Kamin von Großmutters Küche, als mich meine Mutter auf die Wange küsste. Während der ganzen Fahrt hatte Vater telefoniert, die meiste Zeit über jedoch kaum etwas gesagt. Es schien, als wäre er dabei immer trauriger geworden. Er vermied es, mir in die Augen zu sehen, als er Großmutters Haustor hinter sich und Mutter zuzog. Das Geräusch des Motors verstarb in der Dunkelheit und meine Finger lagen auf dem eiskalten Fensterglas, während im Ofen das Holz knackte. Hinter mir saß Großmutter auf einem Holzstuhl. Ich drehte mich um und sah, dass sie Stricknadeln in den Händen hielt, die fortwährend mit leisem Klicken aufeinander trafen. Für Minuten fing sie keine Maschen ein, obwohl sich die Nadeln die ganze Zeit über bewegten. Als unsere Blicke sich trafen, wandte sie sich ab, stand dann auf und legte Holz nach, obwohl wir beide im Zimmer schwitzten. Für Minuten vergaß sie, die Ofentür zu schließen.

Nur für einen Moment schlief ich ein. Im Traum hielt ich einen weißen Stoffsack in den Händen, während ich eine größere Menschenmenge bemerkte, die sehr aufgeregt schien. Mit gereckten Hälsen hielt sie auf einen etwas abseits liegenden, nackten Körper zu. Als ich näher kam, bemerkte ich die Frau, die bei dem Nackten kniete. In ihren Händen hielt sie ein riesiges, weißes Tuch, mit dem sie begonnen hatte, den Körper einzuwickeln. Sie blickte ängstlich auf die näher kommende Menschenmenge. Stimmen ertönten: „Was? Was?“, hörte ich. Es klang, als würde jemand langsam Speichel einsaugen. „Wie? Wie?“ Jedes Wort trieb die Frau nur noch weiter zur Eile. Nun sah ich auch ihren Mann. „Ich halt es nicht mehr aus!“, rief er. Mit seinem Stock stieß er seiner Frau grob in den Rücken. „Den Sack! Endlich den Sack!“ Er entdeckte mich. „Den Sack!“, rief seine Frau, ohne die Augen von ihrem Mann zu nehmen. Fremde Köpfe reckten sich nach dem Körper reckten. „Wer? Wer?“, hörte ich. Einige waren bereits so nahe, dass sie der Frau über die Schulter sehen konnten. „Gesichtssack her!“, schrie der Mann, „Weg mit ihm! Endlich weg mit ihm!“ Er riss mir den Sack aus der Hand. Ohne den Kopf des Liegenden anzusehen, stülpte er ihm den Sack über und schnürte mit aller Kraft zu. Ich starrte auf meine Hände, aus denen er mir ihn entrissen hatte. Von irgendwoher ertönte plötzlich ein Krächzen wie das eines schwarzen Vogels. Erst als ich sah, wie alle auf mich starrten, merkte ich, dass ich es war, der so gekrächzt hatte. „Verdammter Buchstabe!“, schrie der Mann auf. Seine Stimme war schrill. In ohnmächtiger Verzweiflung warf er mit dem Stock nach mir. Aber er traf mich nicht.

Die Stelle, an der die Uhr hing

Ich öffne die Augen, als hätte ich tatsächlich geschlafen. Es ist 6:15 und von der Wanduhr im Nachbarzimmer höre ich das grässliche Ticken. Es war immer schon so laut, sage ich mir, doch ich bin mir nicht sicher. Sie ist in der Küche. Viel zu lange blicke ich auf das schwere goldene Pendel, den Stundenpeitscher, und stelle mir vor, wie die kleinen Rädchen darin sich bewegen, wie das eine das andere antreibt, immer weiter, bis ich an nichts anderes mehr denken kann.

Ich schließe das Holztor und bin mir plötzlich nicht mehr sicher, wer drinnen und wer draußen ist. Mein Schlüsselbund rasselt wie eine Kette. Heute ist es soweit, denke ich. Ich sehe Mutter durch die Gartentüre kommen. Ihr Gesicht ist ohne Blut und es war nie anders, seit sie über Vaters Leichnam gelegen ist und seinen Totengeruch in sich eingesogen hat. Ich grüße sie und vermeide es, in ihre Augen zu sehen. Ich muss vorbei an ihr. „Warte“, ruft sie ganz dicht an meinem Ohr, „Kind, warte doch!“, aber ich habe die Klinke der Gartentüre schon wie eine Mordwaffe in meiner Hand.

Es ist 7:00, pünktlich und ich stehe im Sonnenaufgang, der über die Karosserie meines Wagens streicht. Wenn ich nicht acht gebe, denke ich, könnte eines dieser Räder heute stehen bleiben. Ich greife nach dem Lenkrad, blinke in den Verkehr und habe plötzlich das Bild meines Vaters vor Augen. Er steht im Wohnzimmer und ich höre das Geräusch, wenn er die

Gewichte nach oben zieht. Zwischen den Häuserfassaden greifen die Sonnenstrahlen wie lange dürre Finger nach mir und meinem Wagen. „Sieh her, an dieser Kette musst du ziehen!“, sagt er so dicht an meinem Ohr, als würde er hinter mir auf der Rückbank sitzen. Doch er ist nicht hier, kann nicht sein, denn er ist tot, tot, tot und ich denke wie um mich zu beruhigen an das weiße Gesicht im Sarg an jenem Dienstag und glaube nicht mehr daran, dass die Räder sich heute weiter drehen werden wie jeden Tag. Heute nicht, denke ich, aber genau um 7:18 biege ich ein und lasse mich verschlucken von einem riesigen Firmengelände außerhalb der Stadt. Noch ist es nicht soweit, denke ich, als ich die Tür meines Wagens aufmache, noch habe ich nichts getan, noch nichts unterzeichnet, noch kann, noch muss es anders kommen an diesem Morgen. Als ich das Büro betrete, sitzt E. im Vorraum und grüßt mich mit weißen Zähnen. Sie sagt „Herr“ zu mir und berührt mich am Arm. Es ist ein Lächeln, das nicht weiß, wie weit es gehen soll, denke ich. „Ihr Vater ...“, sagt sie und ich sehe schon wieder das bleiche Gesicht im Sarg, „... ihr Vater müsste hier irgendwo den Vertrag ...“ Er zieht die Pendeluhr auf mit gelenkigen Fingern, die nie etwas anderes getan haben. E. spricht weiter, sie zieht mich in das Büro, das nun meines ist, meines sein muss, doch es riecht noch überall nach meinem Vater: Aus jeder Schublade, die ich aufziehe, jeder Kastentür, allen Schränken und Ordnern kommt mir der Geruch seines Körpers entgegen. Ich setze mich auf den ledernen Drehsessel hinter dem Schreibtisch, der jetzt meiner ist und spüre die leichte Einbuchtung, die der knochendürre Bundfaltenhosenhintern meines Vaters dort eingedrückt hat. Hunderte Tage ist er dort, nur dort gesessen, denke ich, nachdem er die Uhr, die nun in meiner Küche hängt, aufgezogen hat und da taucht wieder sein Gesicht vor mir auf und er sagt: „Täglich musst du sie aufziehen, damit sie nur nicht, nur ja nicht stehen bleibt!" ,und dabei rauscht es in meinen Ohren, als würde sein altes Blut eben in meinen Körper fließen.

E. spricht noch immer und ich entdecke wie ich nicke, immer nur nicke, dabei denke ich doch immer nur an die Uhr, die ich aufziehen muss. Vor mir steht dieser dürre Körper, steckt die alten, zittrigen Hände mit den dicken Adern in die Taschen seiner Bundfaltenhose und blickt zurück, auf mich. Ich weiß, er hat eben noch die Uhr aufgezogen, denn das ist das einzige, was er noch kann mit diesen alten Händen und ich höre, wie sie sprechen von ihm im Nebenzimmer, doch er lächelt weiter mir zu und weiß, dass alles weiter laufen muss, solange er nur die Uhr immer aufzieht. Er spitzt seine Lippen und beginnt zu pfeifen, blickt dabei zurück auf mich, der ich gerade eben das Zimmer erst betreten habe, und schon jetzt, jetzt schon ein Fremder bin. Warum pfeifst du, Vater?, will ich sagen und höre, wie sie weiter im Nebenzimmer sprechen, höre wie E., genau diese E., zu den anderen sagt, dass jetzt ohnehin alles bald soweit sei und - mein Gott - es ist soweit, denn ich stehe ja schon hier, im Arbeitszimmer und sitze im alten Ledersessel meines Vaters und E. stöbert in den Schubladen mit den alten Fotos von mir und Mutter und reicht mir endlich den Vertrag. Ich weiß, Vater, nun kannst du nicht mehr zusehen, wie ich unterschreiben werde, wie deins nun meins wird. E. gibt mir deinen alten Füller aus der Schublade in die Hand und aus dem Nebenzimmer spüre ich wie die Augen durch die halboffene Tür spähen. Nun werdet ihr alle wohl zufrieden sein, denke ich und sehe dabei E. an, die mich anlächelt.

„Ihr Vater hätte keinen besseren Erben finden können.", sagt sie. Ich lese den Vertrag nicht, doch ich merke, wie sich meine Augen über die Buchstaben bewegen. Etwas tickt ganz laut und hässlich in meinem Kopf. Ich blicke auf, doch da ist nichts mehr: der Platz, an dem die alte Uhr an der Wand hing und der nun leer ist, ist bleich wie ein Totengesicht. Ich höre und sehe das schwingende Pendel, als würde die Uhr noch hier an der Stelle hängen und noch immer die Zeit und das Leben meines Vaters zerticken. Dann wird es heiß. Ich merke, wie sie starren: auf den Füller und auf mich und wie sich Vater umdreht mit den Händen in den Taschen. In einer der halboffenen Schubladen erblicke ich ein altes Foto; es ist noch im Rahmen, so wie es Vater damals aufgestellt hat auf seinem Schreibtisch: Ich bin sechs Jahre alt darauf und nackt in einer Sandkiste. Ich höre das Meer und das Geräusch, wenn Sand in den Rädern eines Plastikbaggers knirscht. Meine Mutter und ich denken gemeinsam an Vater, der nicht hier ist und später, wenn der Sand kühl wird, sitzen wir im dunklen

Hotelzimmer und blicken auf eine tickende Wanduhr und warten auf seinen Anruf. Während dieser Minuten spüre ich ihre Hand, die immer wieder über meinen Kopf streicht und ich sehe nicht, wie ihre Unterlippe zittert, weil ich so klein bin und sie so groß. Vater, denk ich dabei, Vater, komm heim.

Es ist zu heiß. E. hämmert mit ihren Stöckelschuhen und ihrem gelb-weißen Anzug ins Vorzimmer zurück. Sie ist verärgert. Es tickt. Ich blicke auf die bleiche Stelle an der Wand. Es tickt. Vater, warum pfeifst du? Du wirst sterben, genau einen Tag später liegst du tot vor mir und deine Lippen spannen sich über deine Zähne und Mutter wird sich am Bett über dich beugen, aber du wirst nichts mehr fühlen davon. Ist es, weil du weißt, dass sich die Räder weiterdrehen werden? Kannst du deswegen so dastehen, mit deinen Händen in den Hosentaschen vor der Uhr?

9.45. Wieder im Wagen, keine Musik, nur dumpfes Motorengeräusch. Die Straße zieht vorbei wie ein Film, den man vor meinen Augen abspult. Es geht weiter, weiß ich. Du hast gewusst, dass es das auch ohne dich gehen würde. Die Räder dürfen nie still stehen und ich weiß, einer wird dann doch die Gewichte hochziehen, auch wenn ich es nicht sein werde. Das Firmenareal ist hinter mir, die Straßen sind beinahe leer, und ich habe das Gefühl, als wäre ich gerade erst geboren worden.

Zwei

Nun steht Mutter in der Tür. Sie hält Ausschau. Sie hebt die rechte Hand wie um zu winken, doch im letzten Moment hält sie inne. Etwas hat sie irritiert. Es ist ihr unmöglich, die Bewegung zu Ende zu führen. Ihre Hand wird von einer plötzlichen Schwere gepackt und fällt auf den Mutterkopf zurück, krabbelt von dort aus ihren Hals hinunter.

Mutters Hand ist eine Spinne, die in ihrem Nacken liegen bleibt. Mutter würgt sich selbst. Es geht ihr nicht gut. Sie atmet schwer und ihre Augen starren in die Finsternis. Sie will zwei Schatten in der Nacht sehen, doch es ist nur einer da. Sie hat gewartet. Auf ihren Lippen hatte sie schon den Befehl. Sie wollte dazu ermahnen, die Schuhe auszuziehen und so die Sauberkeit im Haus nicht zu gefährden. Er war für zwei Personen gedacht. An eine Person allein scheint er nicht anwendbar zu sein. Es irritiert sie.

Die Spinne an ihrem Hals erwacht wieder zum Leben. Sie kriecht langsam an ihrem Hals von hinten nach vorne, beschließt erneut zu sterben, diesmal an ihrem Kehlkopf. Ihre kleinen grauen Beinchen zucken dabei noch lange nach. Es ist ein langsamer Tod. Der Grund dafür sind die Schatten, welche zu wenige sind. Nur einer kommt ans Licht, an die Haustüre, in der Mutter steht. Dort beendet der Schatten seine

Existenz. Er schärft sich selbst, jemand bemalt ihn mit Licht und Farbe.

Mein Liebster, sagt die Mutterstimme. Das ist das einzige, was sie nun sagen kann. Sie leidet wie nur eine Mutter leiden kann. Mit letzter Kraft gelingt es ihr, der Spinne wieder Leben einzuhauchen. Sie schickt sie fort, sie will sie nicht mehr bei sich haben. Sie soll fort auf den, der nur einer ist, sie soll dort etwas rasten, meint sie. Dort ist der Untergrund ein besserer, ein frischerer. Die Wange des anderen ist dafür bestens geeignet, empfindet sie. Dabei lässt sie die Spinnenhand nicht aus den Augen. Die Augen sind immer auf ihr.

Liebste Mutter, sagt der andere. Er weiß, was sich gehört. Er ekelt sich nicht vor dem Spinnentier. Er beschließt, es in diesem Augenblick zu lieben. Es ist das Haustier der Mutter. Er, der so schnell gegangen war, bleibt nun stehen. Er keucht vor Anstrengung. Manchmal denkt er an das, was zwischen den Beinen seiner Mutter ist. Er denkt an die Unmöglichkeit, einen Ort zweimal aufzusuchen. Jetzt hebt er so wie sie zuvor, die Hand. Er macht es ihr nach. Er legt seine eigenen Finger über die Mutterspinnenhand, die auf ihm rastet. Er hält sich für das Werk eines Schöpfers. Der Schöpfer ist Eigentümer seiner Werke. Er, der nichts von Urheberrecht versteht, empfindet das intuitiv als richtig. Er denkt sich seinen Körper als zeitliche Verlängerung des Mutterkörpers, der langsam in die Jahre kommt und vorsorgen muss.

Mein liebes Kind, sagt die Mutter, die noch nicht viel sagen kann, weil sie immer noch an die Zweiheit denken muss. Sie will und wollte, dass alles sein Gegenstück hat. Nichts sollte allein sein, das war seit jeher ihr Gedanke. Sie denkt das, während die Spinne ihren Tod beendet hat. Dann fragt sie:

Mein liebes Kind, wo ist dein Bruder? Sie schickt diese Frage aus ihrem Mund und erwartet die baldige Ankunft. Sie will nicht lange warten, sie hat es eilig. So lange kann es unmöglich brauchen, denkt sie. Ob sie zu leise gesprochen hat? Sie glaubt zu sehen, wie sich die Worte in den behaarten Ohren drehen wie in einem Ausguss. Jetzt müssten sie doch bald drinnen sein. Sie will den Finger reinstecken und darin herumstochern, damit sie endlich abrinnen, damit sie endlich hinein kommen in diesen schwarz behaarten Schädel.

Und endlich bewegt sich etwas, das Kauwerkzeug wird aus der Warteposition heraus manövriert, das Kiefer klappt nach unten und schon schlägt die Zunge Wellen, auf denen die Antwort schwimmen soll wie ein Surfer.

Liebste Mutter, sagt er, mein Bruder wird nicht kommen. Sofort erkennt sie, dass das nicht alles ist, dass beim Versand etwas verloren gegangen sein musste. Da haben sie etwas verschlammt, meint sie zu wissen, etwas liegt noch in einer Kiste. Vielleicht hat man vergessen, den Stempel drauf zu tun, auf jeden Fall ist nicht alles gekommen, was sie erwartet hat. Der fremde Körper ist der Nachfolger ihres eigenen. Er ist das aktuellere Modell. Er wankt hin und her. Er will sich weg drehen vor den durchdringenden Mutteraugen; die Augen wollen zurückweichen, wollen zurück in die Höhlen.

Noch immer stehen die zwei, die drei sein hätten sollen, vor dem Haustor im Schein der Laterne.

Liebste Mutter, versucht er es noch einmal. Liebste Mutter, ich will dich nicht anlügen. Mein Bruder wird nicht mehr kommen. Er hebt jetzt den Blick, denn er weiß, dass in seinen Höhlen liebende Augen stecken. Die Liebe darf nicht versteckt werden, die Liebe muss offen und frei getragen werden. Nichts Dankbareres als die Liebe des Sohnes zur Mutter, nichts Stolzeres als die der Mutter zum Sohn. Es ist ein Liebespaar, das sich gegenüber steht. Die Mutterhand, die eine Spinne gewesen war, wandelt sich nun: Ihr wird alles Leben abgesprochen. Sie muss ihre Beine verlieren, viel härter muss sie nun werden, sie bekommt einen Panzer. Am liebsten hätte Mutter sie aus Stahl. Sie denkt an einen Hammer und schlägt ihrem Fleisch und Blut damit gegen die Brust und weiß genau, dass es auch ihre eigene Brust ist, gegen die sie schlägt. Sie tut sich selbst nichts Gutes, sie tut es, um sich ihrem eigenen Geist Luft zu machen. Ihr Schlagen gegen ihren Sohn ist Gefühl. Sie liebt ihren Sohn so sehr, dass sie ihm gegen die Brust schlägt und ihre Hand mit einem

Hammer tauschen möchte. Sie muss es heraus klopfen, denkt sie, sie weiß genau, dass noch etwas darinnen ist. Sie liebt die Wahrheit mehr als ihren Sohn.

Mein liebes Kind, sagt sie, warum kommt er nicht? Wie ist das möglich. Sie versteht es nicht. Wie kann es sein, sagt sie, ihr seid doch zusammen am Fluss Fischen gewesen. Ich sehe doch die Angel, die du auf der Schulter trägst. Die Hammerhand deutet darauf. Kurz ist sie ihrer Funktion beraubt. Mutter hat sie zurückverwandelt. Doch schon Sekunden später ist sie wieder hart wie Stahl und schlägt ihrem Sohn erneut gegen die Brust. In der Tasche liegen Fische. Man hat sie bis jetzt nicht gesehen. Der fremde Körper, der Mutter nachfolgt, hat sie in der Dunkelheit stehen lassen. Nun greift er hinter sich und legt sie vor die Füße seiner Schöpferin.

Sieh nur, liebste Mutter, sagt er. Ich habe zwei gefangen, siehst du. Ihre Bäuche habe ich mit meinem Messer geöffnet und ihnen die Eingeweide heraus gerissen. Ich habe dir die Arbeit abgenommen. Das musst du nicht mehr tun. Es sind schöne Fische. Das wird ein schönes Essen heute, sagt er. Er hat sie für Mutter gefangen. Er möchte sich bedanken, er möchte ihr wertvoll erscheinen, er möchte nicht, dass sie ihr eigenes Werk bespottet. Sie soll stolz auf ihn sein. Sie soll froh darüber sein, ihn in seinem Bauch getragen zu haben trotz all der Schmerzen, die er verursacht hat. Sie soll die Schmerzen, mit denen sie ihn getragen und geboren hat, vergessen, nach Möglichkeit soll sie diese Schmerzen sogar im Nachhinein als angenehm empfinden, in jedem Fall aber soll das Ergebnis die Mühen aufwiegen. Er will eine gute Investition sein. Er möchte keine Verlustrechnung sein. Die Mutterhand nimmt nun die Fische.

Tatsächlich hat er sie ausgenommen. Sie braucht sie nur mehr in die Pfanne mit Öl tun. Er ist ein guter Sohn. Er hat ihr Arbeit abgenommen. Dadurch wird der Sohn aufgewertet. Er hat seinen Wert gesteigert. Und trotzdem kommt sie nicht von dem Gedanken los, dass einer besser zwei sein sollte. Dass einer verloren gegangen ist. Einer wurde abgezogen. Diese Rechnung hat sie nicht gemacht und will sie auch nicht machen. Sie weigert sich, diese Subtraktion durchzuführen. Eine Mutterhand hält einen Fisch, während die andere in die Öffnung am Bauch des Fisches fährt, um die Qualität der Leistung, die unbestreitbar vollbracht worden ist, zu beurteilen. Mutter erkennt die Handschrift des Messers, sieht geradezu die Finger ihres Sohnes hineingreifen. Es sind nicht die von dem, der ihr gegenüber steht. Es ist ihr anderes Kind.

Mein liebes Kind, sagt sie, dein Bruder hat das Messer hier geführt. Ich kenne das Ungeschick deiner Hände. Ihre Hand wird zum Schraubstock. Ihre Finger pressen das Fleisch des fremden Menschen am Gelenk zusammen. Ein Messer kannst du nicht führen, sagt sie. Dadurch hat der Sohn an Wert verloren. Das, was sie zuvor beim Anblick der Fische hinzugezählt hat, muss nun wieder weg kommen, damit die Rechnung stimmt. Der Sohn hat sich mit fremden Federn geschmückt. Er hat versucht, eine Leistung vorzutäuschen. Er hat die eigene Mutter betrogen. Sie überlegt, ihn zu bestrafen, doch noch immer irritiert sie die Einzelheit ihres Kindes. Sie will zweimal vermehrt sein. Zur Not hat sie mit einem Zweiten vorgesorgt. Mutter hat überlegt gehandelt. Doppelt hält besser. Sie hat für schlechte Zeiten einen Vorrat an Söhnen angelegt.

Die Hand des Sohnes weiß, dass sie sich nicht von der Umklammerung der Mutter lösen darf. Bald schon findet er den Schraubstock Mutter angenehm. Nur die Wertminderung kränkt ihn. Er will beweisen, dass sein Wert in keinem Fall gefallen ist. Mindestens ebenso hoch soll Mutter ihn schätzen wie seinen Bruder.

Liebste Mutter, sagt er. Mit der anderen Hand hält er nun das Messer. Es ist das Beweisstück. Er legt es vor Zeugen aus. Hiermit besteht kein Grund mehr, eine Wertminderung zu befürchten. Er kann die Bedenken mühelos zerstreuen. Vor die Augen der Mutter hält er es und im Licht sieht sie sich nun mit ihrer Falscheinschätzung konfrontiert. Die Beweise sind stichfest. Mit ihren Augen muss sie nun sehen, dass die Abwertung sofort wieder rückgängig gemacht werden muss. Sie muss den Normalwert wiederherstellen, mehr noch: Es ist ein neuer Spitzenwert erzielt worden. Ihr Sohn hat seine

Konkurrenz überflügelt. Er ist nun alleiniger Spitzenreiter der Tabelle. Auf der Schneide sieht sie Flecken von eingetrocknetem Blut.

Biographie:

Constantin Göttfert, geboren 1979, in Wien lebend, seit 2002 Studium der Germanistik und Kulturwissenschaften. Arbeitet nebenbei als Assistent in einer Ideen-Schmiede. Seit 2002 Veröffentlichungen in Zeitschriften und Anthologien, zuletzt „Marzipan“ in „DUM – Das Ultimative Magazin.“, Hrsg. von Wolfgang Kühn, (Literaturhaus NÖ), Mitglied im Poetenladen.

- "Mutter" und "Unvermeidbares" in "Junge Literatur", Hrsg. Wolfgang Kühn, Edition Aramo, Wien 2002
- "Der brave Vernunftskopf" in "Maskenball Ausgabe 55 November 2003", Zeitschrift für Kunst-Kultur und Literatur, Verlag Jens Neuling, Bruchköbel 2003
- „Kurzes Schreckwachen“ in „Kurzgeschichten Ausgabe 06/2004“, Lichtenau 2004
- „Erde“ in „moira, fatum, Schicksal“, Hrsg. Arne-Wigand Baganz, versalia.de Netzanthologie, Berlin 2004
- „Dampftrübs Rache“ in „Kult: Das letzte Poesy-Chatotycum der Republyk Ausgabe 19/04“, Alfaa Enterbraynment, Goldbach 2004
- „Lena“ in „Schattenseiten, Leselupenbücherei 003“, Hrsg. Michael Schmidt, Web-Site-Verlag 2004

- „Am Fluss“ in „@cetera, literatur & so weiter 13/ September 2004“, Hrsg. Mag. Eva Riebler, Literarische Gesellschaft St. Pölten 2004
- „Der brave Karl und der liebe Onkel Doktor“ in „Asphaltspuren 4/2005“, Hrsg. Ute Hallmann, Regina Holz 2005
- „Lena“ in „Mordlust. Erotic Crime Stories“, Storia Verlag, München 2005
- „Vernagelung“ in „Wortlaut 05. Der FM 4 Literaturwettbewerb“, Hrsg. Zita Bereuter & Pamela Rußmann, Luftschacht, Wien 2005
- „Detroit“ in „erostepost Nr. 32“, Hrsg. Dirk Ofner & Kurt Wölflingseder, erostepost Verlags- u. Vertriebsges. BR (Literaturhaus Salzburg), Salzburg 2005
- „Marzipan“ in „DUM – Das Ultimative Magazin. Jahrgang 9, No.: 36/2005“, Hrsg. Wolfgang Kühn, (Literaturhaus NÖ), Langenlois 2005

BUCHLISTE AROVELL 2006

15 Jahre Arovell (1991-2006)

Peter Assmann, BEREITS – bemerktes
Lyrik, Arovell Verlag Mai 2006, 10,- Euro
ISBN 3-901435-80-8, Nr. A 80, 140 Seiten
Autor in Oberösterreich

Constantin Göttfert, Holzung
Kurzgeschichten, Arovell Verlag Mai 2006, 10,- Euro
ISBN 3-901435-81-6, Nr. A 81, 160 Seiten
Autor in Wien

Verena Hirzenberger, Brückenkluft
Roman, Arovell Verlag Mai 2006, 10,- Euro
ISBN 3-901435-82-4, Nr. A 82, 160 Seiten
Autorin in Wien

Fritz Huber, Entsprungene Zwillinge
Lyrik, Arovell Verlag Mai 2006,10,- Euro
ISBN 3-901435-83-2, Nr. A 83, 120 Seiten
Autor in Salzburg

Irene Kellermayr, Meine Unruhe
Erzählungen, Arovell Verlag Mai 2006, 10,-. Euro
ISBN 3-901435-84-0, Nr. A 84, 120 Seiten
Autorin in Oberösterreich

Heidemarie Leingang, durchscheinend
Lyrik, Arovell Verlag Mai 2006, 10,- Euro
ISBN 3-901435-85-9, Nr. A 85, 130 Seiten
Autorin in Oberösterreich

Dorothea Macheiner, stimmen
Lyrik und Kurzprosa, Arovell Verlag Mai 2006, 10,-. Euro
ISBN 3-901435-86-7, Nr. A 86, 130 Seiten
Autorin in Oberösterreich und Wien

Andrea Pointner, Eingeständnisse
Lyrik/Kurzprosa, Arovell Verlag Mai 2006, 10,- Euro
ISBN 3-901435-87-5, Nr. A 87, 150 Seiten
Autorin in Salzburg

Andrea Starmayr, Schatten / Bilder
Kurzprosa, Arovell Verlag Mai 2006, 10,- Euro
ISBN 3-901435-88-3, Nr. A 88, 130 Seiten
Autorin in Oberösterreich

Peter Paul Wiplinger, ausgestoßen
Prosa, Arovell Verlag Mai 2006, 12,90 Euro
ISBN 3-901435-89-1, Nr. A 89, 140 Seiten
Autor aus OÖ, in Wien

BUCHLISTE AROVELL 2005

Hermann Knapp, Odysseus im Supermarkt
Kurzgeschichten, Arovell Verlag Mai 2005
ISBN 3901435719, 10 Euro, 140 Seiten
Autor in Oberösterreich

Martina Kohlmann, Suche das Meer
Lyrik, Arovell Verlag Mai 2005
ISBN 3901435727, 10 Euro, 91 Seiten
Autorin in Oberösterreich

Inge Koop, Spuren-Netze
Lyrik und Kurzprosa, Arovell Verlag Mai 2005
ISBN 3901435735, 10 Euro, 120 Seiten
Autorin in Salzburg

Camillo Pizatto, Nahaufnahmen
Kurzprosa, Arovell Verlag Mai 2005
ISBN 3901435743, 10 Euro, 122 Seiten
Autor in Salzburg

Kurt Rebol, Zündblase
Kurzprosa, Arovell Verlag Mai 2005
ISBN 3901435751, 10 Euro, 130 Seiten
Autor in Salzburg

Johanna Tschautscher, Identität
Prosa, Arovell Verlag Mai 2005
ISBN 390143576X, 10 Euro, 120 Seiten
Autorin in Oberösterreich

Christian Weingartner, Reise-Blues
Kurzprosa, Arovell Verlag Mai 2005
ISBN 3901435778, 10 Euro, 145 Seiten
Autor in Salzburg

Paul Jaeg, Es zieht in Österreich
Lyrik und Kurzprosa, Arovell Verlag Mai 2005
ISBN 3901435700, 10 Euro, 170 Seiten
Autor in Oberösterreich

Christoph Janacs (Hrsg.), Unerbittliche Sanftmut
Lyrik und Kurzprosa, Arovell Verlag Sept. 2005
ISBN 3901435786, 10 Euro, 150 Seiten
Autoren/Autorinnen in Salzburg

Im Arovell Verlag in den letzten Jahren erschienen:

Hans Lutsch, Landlose Gehversuche
(Lyrik) 118 Seiten, 10 Euro, Mai 2004
(Autor in der Stadt Salzburg)
arovell verlag gosau salzburg ISBN 3-901435-65-4

Herbert Reiter, Stimm
(Prosa) 145 Seiten, 10 Euro, Mai 2004
(Autor in Altenmarkt/Salzburg)
arovell verlag gosau salzburg ISBN 3-901435-64-6

Heinrich Schaur, Vom Cafe Prückel ins Cafe Stein (Prosa)
195 Seiten, 10 Euro, Mai 2004
(Autor in Linz)
arovell verlag gosau salzburg ISBN 3-901435-61-1

Hans Dieter Aigner, Gegenüber
(Lyrik und Kurzprosa) 152 Seiten, 10 Euro, Mai 2004
(Autor in Linz)
arovell verlag gosau salzburg ISBN 3-901435-62-x

Karin Gayer (Hrsg.), Vorgänge im Labyrinth
(Lyrik und Prosa) 110 Seiten, 8 Euro, Mai 2004
(AutorInnen in Wien)
arovell verlag gosau salzburg ISBN 3-901435-66-2

Ernestine Haider, Augenaufschlag
(Lyrik und Kurzprosa) 80 Seiten, 8 Euro, Mai 2004
(Autorin in der Stadt Salzburg)
arovell verlag gosau salzburg ISBN 3-901435-63-8

Margot Koller, Alles fließt wie der Fluss
75 Seiten, 14, Euro, Mai 2004
(Autorin in der Stadt Salzburg)
arovell verlag gosau salzburg ISBN 3-901435-69-7

Thomas Werner Duschlbauer, Unvorhersehungen
(Gedichte)
98 Seiten, 8 Euro, März 2003
(Autor in Linz)
arovell verlag gosau salzburg ISBN 3-901435-57-3

Kilian Fitzpatrick, Elf, (Prosa-Stücke)
70 Seiten , 8 Euro, März 2003
(Autor in München)
arovell verlag gosau salzburg ISBN 3-901435-55-7

Paul Jaeg, alles noch unerlebt
Kurzprosa, 175 Seiten, 8 Euro, März 2003
(Autor in Gosau OÖ)
arovell verlag gosau salzburg ISBN 3-901435-58-1

Christoph Janacs, Tauchgänge
(Anthologie) 168 Seiten, 8 Euro, März 2003
(Autoren/Autorinnen in Salzburg)
arovell verlag gosau salzburg ISBN 3-901435-59-X

Andreas Lindpointner, Mir war, als wär ich nicht
(Lyrik) 131 Seiten, 8 Euro, März 2003
(Autor Linz)
arovell verlag gosau salzburg ISBN 3-901435-56-5

Fritz Huber, Ein brennender Fisch
(Gedichte) 130 Seiten, 8 Euro, März 2003
(Autor in der Stadt Salzburg)
arovell verlag gosau salzburg ISBN 3-901435-54-9

A r o v e l l

BESTELLUNG:

Arovell, Vordertal 660, 4824 Gosau, Austria

fon 06136/20016 - fax 06136/8336 –

email arovell@arovell.at

www.arovell.at

AUSLIEFERUNG:

Arovell Gosau Salzburg Wien

fon 06136/20016 - fax 06136/8336 –

arovell@arovell.at

www.arovell.at

Versand kostenfrei!

Z e i t s c h r i f t e n

arovell-musikzeitschrift (Auflage 700 in Farbe)

arovell literaturzeitschrift (Auflage 200 s/w)

arovell kunstzeitschrift (Auflage 200 s/w)

1 Jahresabo 6,00 Euro

Einzeln 1,6 Euro

Vierteljährliche Erscheinungsweise.

Arovell wird unterstützt von Sponsoren,

von den Landesregierungen und vom Bundeskanzleramt.

Adressen

arovell
Büro 1: A-4824 Gosau, Vordertal Nr. 660, Austria
Büro 2: A-5071 Wals/Salzburg, Zellerstr. 60, Austria
Büro 3: A-1060 Wien, Stumpergasse 35/1, Austria

Constantin Göttfert, Holzung
Kurzgeschichten

ISBN 3-901435-81-6
Buchnummer A 81

Arovell Verlag
Mai 2006

10,- Euro

In Zusammenarbeit mit der
„Erostepost“ Salzburg entstanden.